HABILIDADES PARA LA IGLESIA MISIONERA

The Upstream Collective

Título original: Tradecraft: For the Church on Mission

Perfil de los autores

Rodney Calfee tiene más de veinte años de experiencia como líder en el ámbito de la iglesia local, incluida la plantación de una iglesia urbana en Birmingham, Alabama. En 2010 empezó a escribir, editar y hacer de consultor para The Upstream Collective. También es coautor de *Habilidades para la iglesia misionera*. En la actualidad, Rodney es director de contenidos para Internacional Mission Board.

Larry E. McCrary es cofundador y director ejecutivo de The Upstream Collective. Durante los últimos 15 años él y su familia han vivido en Europa, donde ha servido en diversos puestos de estrategia y liderazgo. Antes de mudarse a Europa fue pastor y plantador de iglesias en los EE. UU. Es coautor de *Habilidades para la iglesia misionera* y *First 30 Daze: Practical Encouragement for Living Abroad Intentionally*. Él y su mujer viven en Louisville, donde sirve como pastor de misiones en Sojourn Community Church East.

Caleb Crider es cofundador de The Upstream Collective. En 2002 él y su familia se mudaron a España para liderar un equipo de plantadores de iglesia centrados en el arte, la acción social y el intercambio cultural. Es coautor de *Habilidades para la iglesia misionera*. En la actualidad Caleb vive en Richmond, Virginia, donde se encarga del diseño instruccional para International Mission Board.

Wade Stephens vivió con su familia en Europa del Este como misionero durante 10 años. Lleva varios años de vuelta en EE. UU., donde está ayudando a iglesias, empresas e individuos que quieren vivir como misioneros. Gracias a su amplia experiencia como misionero a todo tiempo y/o misionero a través de su profesión, Wade puede reconocer oportunidades para el avance del evangelio a través de iniciativas creativas.

En este libro, los autores explican de forma elocuente las tácticas y las aproximaciones misioneras clave para que los barrios y las ciudades se abran al evangelio. Tienen mucha experiencia en estas cuestiones y son eruditos en el tema. Altamente recomendado como manual para la misión en cualquier lugar.

Alan Hirsch

Fundador de Forge Mission Training Network y autor de varios libros premiados sobre el cristianismo misional

http://www.theforgottenways.org/

Con *Habilidades para la iglesia misionera*, los líderes de Upstream nos ofrecen pasos prácticos para desarrollar un compromiso misional real. Las nueve habilidades misioneras recogidas en este libro ayudarán a los cristianos a vivir de forma misional y a relacionarse con sus vecinos y con las naciones por causa de Cristo.

Ed Stetzer

Misionólogo, fundador y pastor de Grace Church y autor de numerosos libros, entre ellos *Subversive Kingdom*

http://www.edstetzer.com/

Hace tiempo que pienso que los principios que usamos para llevar el evangelio a las naciones deberían enseñarse a un público más amplio. Y eso es exactamente lo que *Habilidades para la iglesia misionera* ha hecho. El equipo de The Upstream Collective ha escrito un libro extraordinario que utilizaré para formar a nuestros futuros misioneros, pero también para discipular a los creyentes en mi contexto local. Todo líder de iglesia debería leer este libro y hacerlo llegar a los miembros de sus congregaciones.

Nathan Garth

Pastor global de Sojourn Community Church, Louisville, Kentucky

http://www.sicollective.com/

Recientemente se ha escrito mucho sobre la misión de la iglesia. Muchas iglesias hablan de "ser misional" y de "comprometerse con su ciudad". Pero aunque muchos cristianos están entendiendo su rol en la misión de Dios, a muchos les faltan las herramientas para llevarla a cabo. Este libro busca cubrir esa necesidad. Sus autores, experimentados misioneros transculturales, explican nueve habilidades básicas de los misioneros transculturales que, en su opinión, son fundamentales para la iglesia estés donde estés. Creo que no he leído ningún libro que desarrolle de forma tan clara estas estrategias misioneras centrales, habilidades que la iglesia en Occidente necesita. Recomiendo *Habilidades para la iglesia misionera* a cualquier pastor o líder que quiera saber cómo entender y relacionarse mejor con su contexto. En particular, creo que este libro podría ser una valiosa herramienta para plantadores y revitalizadores de iglesias que se acercan a su contexto por primera vez.

J. D. Greear

Pastor de Summit Church y autor de varios libros, entre ellos *GOSPEL: Recovering the Power that Made Christianity Revolutionary*

http://www.jdgreear.com/

En los EE. UU. la iglesia está en crisis. La cultura está cambiando, pero nosotros no estamos cambiando nuestros métodos para llevar el evangelio a los perdidos. ¿Qué hacer? Debemos aprender a ser misioneros aquí y ahora. El equipo de Upstream nos han hecho un gran regalo al publicar un libro que nos ayudará a lograr ese objetivo. *Habilidades para la iglesia misionera* es un recurso que todo el que quiera responder al llamado de Dios debería tener.

Se trata de un libro sin precedentes.

David Putman

Fundador de la red Planting the Gospel y autor de varios libros, entre ellos *Detox for the Overly Religious*

http://www.plantingthegospel.com/

ÍNDICE

PRÓLOGO

Jason Dukes

Encarnación. A Dios le importamos hasta tal punto que la encarnación fue el centro y el clímax de su comunicación con nosotros. El suyo siempre ha sido un mensaje de amor, y no puede haber mensaje de amor sin cercanía. Por tanto, la Palabra se hizo carne y habitó entre nosotros (Juan 1:14).

"Encarnación" es una palabra que la mayoría de la gente que va a la iglesia en los EE. UU. nunca ha pronunciado. La que sí han pronunciado es "misionero". Pero, ¿realmente saben lo que significa?

En teoría, se considera "misionero" a aquella persona que va a un grupo de gente desconocido, ya sea geográfica o culturalmente, y les transmite el evangelio. Los misioneros que han visto algún tipo de transformación han realizado esa transmisión del amor de Dios (aunque "traducción" sería una palabra más adecuada) de dos formas: viviendo entre esa gente, y en la lengua y la cultura de esa gente.

En la práctica, el "misionero" es alguien a quien ofrecemos apoyo económico, oración y ánimos, y que regresa a casa de forma periódica para informarnos. En sus visitas nos cuenta historias, apela a nuestras emociones y pide más apoyo económico. Le damos ofrendas. De vez en cuando, algún alma apasionada nos exhorta diciendo que algunos de nosotros deberíamos ir a las misiones. En el tablón de "Misiones" que hay en el pasillo aparece una hoja de inscripciones. Algunos se apuntan para visitar el campo misionero. Realizan alguna labor misionera. Cuando regresan a casa, normalmente oran por el misionero que han visitado con más fervor que nunca, y muy a menudo anhelan involucrarse algo más. Pero cuando se paran a pensar en qué podría ser ese "algo más", la conclusión más común es "regresar a aquel lugar".

Pero, ¿es eso realmente lo que Jesús tenía en mente?

Jesús no fue a las "misiones" de esa forma. No vino como un "misionero" de ese tipo. Su nombre "Emanuel" resume su corazón misionero mejor que ninguna otra palabra: "Dios con nosotros". ¿Cuándo estaba Jesús con la gente? Cada día. ¿Y qué hacía cuando estaba con ellos? Comía. Bebía. Servía. Conversaba. Las actividades normales del día a día.

¿Nosotros también somos "misioneros" de ese tipo?

Cuando estaba en el huerto la noche antes de entregar su vida, Jesús oró diciendo: "Como tú me enviaste al mundo, así los envío también al mundo" (Juan 17:18).

Este llamado, junto a todo lo demás que Jesús enseñó, da a nuestra vida y a la de todos los seguidores de Jesús un propósito que va mucho más allá de dar una ofrenda o hacer un viaje misionero de corto plazo.

Al igual que yo, los líderes de The Upstream Collective han hecho la misma pregunta a muchos aspirantes a misionero: ¿Cómo *podemos pensar y vivir como misioneros en nuestro día a día dondequiera que estemos?*

Esta no es una pregunta para responderla rápidamente y de forma trivial. Debemos sopesarla, lidiar con ella, darle tiempo y dejarle espacio para que cobre vida. Jesús oró así para que abrazáramos la misión que el Padre tenía en mente para nosotros. Algo me dice que si nos enfrentamos a esta pregunta llegará a haber florecimiento "en la tierra como en el cielo" dondequiera que vayamos. Cada día. En todo lugar. Algo me dice que pensar y actuar como un "misionero" no es una de las muchas funciones ministeriales de los seguidores de Jesús. Es la función por excelencia. Juntos. Para todo seguidor. En todo contexto.

Habilidades para la iglesia misionera explora cómo encarnar esta mentalidad y este estilo de vida misionero, y lo hace como ningún otro libro que yo haya leído sobre el tema. Sus autores son formadores que han batallado con esta pregunta sobre la misión, han formado a otros que también batallan con ella, y continúan viviendo humildemente como aprendices de Jesús con el deseo de encarnar el corazón misionero de nuestro Padre.

Lee *Habilidades para la iglesia misionera,* pero solo si estás dispuesto a que te cuestionen, te reten a abandonar la forma en la que quizá veías las misiones, y te reorienten para pensar y vivir como misionero. En cuanto a la teoría, este libro define los términos necesarios para alinearnos con lo que Jesús tenía en mente cuando oró la oración de Juan 17. En cuanto a la práctica, ofrece sugerencias para ser la respuesta a lo que Jesús pidió en Juan 17, a la vez que te invita a vivir plantando sigilosamente el evangelio del Dios que se acercó.

De hecho, una de las muchas cosas que me impresiona de estos líderes de Upstream es que no han escrito este libro para que puedas cumplimentar una tarea misionera. Lo que ellos desean es que los perdidos y los aislados de este mundo, estén en la casa de al lado o al otro lado del globo terráqueo, lleguen a creer que el Dios que se acercó también les ama. Creo que no estoy equivocado si digo que también desean que como Iglesia dejemos de hacer misiones, y en su lugar dejemos que el Espíritu Santo nos impulse a ser sus misioneros. Después de todo, ese es el *quid* de la misión: aceptar el reto divino de amar a los demás tal como Dios nos ha amado.

Dios quiera que encarnemos ese amor que se acerca, mientras vamos y vivimos entre aquellos a los que hemos sido enviados con las buenas noticias de Jesús. Eso no ocurrirá hasta que no nos veamos a nosotros mismos como misioneros de la forma en la que Jesús se vio a sí mismo. Eso es precisamente lo que este libro nos ayuda a hacer.

Jason Dukes

Pastor de Westpoint Church en Orlando, Florida, fundador de la red Reproducing Churches Network y de la iglesia Church at West Orange, y autor de *Live Sent: You are a Letter* y *Beyond My Churc*

PREFACIO

Rodney Calfee

Yo no soy misionero.

Nunca he vivido en el extranjero, nunca he trabajado para una agencia misionera ni me he hecho una foto con mi familia para que la gente la ponga en su nevera. Nunca he atravesado las junglas de un país del tercer mundo, poniendo mi vida en peligro para llevar el evangelio a una tribu no alcanzada. Tampoco me he aventurado en la jungla urbana de ninguna gran ciudad para conocer a todas las tribus urbanas y su mentalidad poscristiana por causa del evangelio.

Soy de una ciudad de tamaño medio situada en el centro del cinturón bíblico. Allí, la vida transcurre en los barrios residenciales, gira en torno al fútbol americano universitario y al cristianismo cultural, nuestro artículo de exportación por excelencia. Con la cantidad de megaiglesias que hay, no hay necesidad de más iglesias; al menos, eso es lo que oí cuando participé en la plantación de una nueva iglesia hace 13 años. De hecho, la mayoría de la gente de mi ciudad se consideran cristianos. La inmensa mayoría.

Los misioneros no viven en ciudades como esta. Los misioneros viven donde la gente no ha oído el evangelio. Viven en las ciudades oscuras y liberales (el resultado de no entender el evangelio, según muchas de las personas de mi ciudad), ¿cierto? El sur, el sur cristiano, no necesita misioneros. Hay iglesias en todas las esquinas. En muchas de nuestras librerías, cafeterías y pistas de patinaje suena música cristiana. Si alguien quiere "encontrar a Dios" hay un sinfín de opciones a la puerta de su casa. ¿No es eso suficiente?

Yo solía pensar que sí.

Como muchos otros, yo pensaba que el problema que la gente tenía con la iglesia no era el mensaje, sino el medio. Si creábamos un espacio donde hacer todas las cosas que siempre habíamos hecho en la iglesia, pero de forma más actual, seguro que los perdidos se volverían a Jesús de forma masiva. Así que lo probamos. Y con nosotros, toda una generación de creyentes descontentos. Y funcionó. Bueno, más o menos. Muchos de los que habían dejado la iglesia por razones diversas regresaron. Y algunas personas vieron que regresaban, y se les unieron. Personas que estaban perdidas. Escucharon el evangelio y creyeron. ¡Alabado sea el Señor!

¿Pero luego qué?

Muchos pasaron a formar parte del mismo sistema en el que crecí, un sistema en el que vivíamos trabajando duro dentro de las cuatro pareces de la iglesia e invitábamos a nuestros amigos a venir con nosotros. Recuerdo convencer a muchos de mis amigos a que vinieran al grupo de jóvenes con la promesa de que habría pizza, hot dogs, básquet o chucherías que habían sobrado de Halloween. Esta generación está volviendo a repetir lo mismo, solo que ahora esas cosas son para nuestros hijos.

No me malinterpretéis. Me encanta haber crecido en la iglesia. Crecí en una iglesia con gente maravillosa que realmente quería que más personas llegaran a conocer a Jesús. Estoy agradecido por los muchos profesores de escuela dominical, los directores del coro de niños, los predicadores y los líderes de jóvenes que se desvivieron por ayudarme a crecer. Estoy agradecido por mi iglesia. Estoy agradecido por haber conocido a Cristo a una edad temprana y porque a lo largo de los años me enseñaron a conocerle mejor. Estoy agradecido porque me enseñaron a servir y a amar a las personas porque Jesús las ama. Estoy realmente agradecido.

Sin embargo, me hubiera gustado que me enseñaran algo que nunca me enseñaron. Quizá alguien me lo dijo alguna vez, pero no lo recuerdo; no es lo que vi ni lo que *experimenté*. Recuerdo aprender a orar, estudiar la Biblia, memorizarla, cantar alabanzas, ayunar, y muchas otras disciplinas, maravillosas y necesarias. Aprendí mucho sobre lo que debo hacer, pero muy poco sobre *quién soy*.

La cuestión es que soy un misionero. Aquí mismo. Aquí en mi ciudad de tamaño medio llena de gente que lleva su Biblia a todas partes, que cita (mal) las Escrituras y decora sus pertenencias con pegatinas cristianas, llena de cristianos estadounidenses del sur que aman a Dios y a su país. No soy misionero por el lugar en el que vivo. Soy misionero porque soy quien soy, o, mejor dicho, por la identidad que Dios me ha dado. Yo era esclavo del pecado, entregado a los placeres de este mundo. Jesús me salvó y lo viejo quedó atrás. Y llegó lo nuevo. Soy una nueva criatura en Cristo; una nueva criatura a la que Pablo dio el nombre de "embajador" (2 Corintios 5:17-21). Esa es mi identidad. Soy hijo de Dios, coheredero con Cristo, y un representante de mi Rey y de Su reino.

Soy un hombre que ha sido enviado a una misión. Es la misión de Dios, que obviamente es mucho mayor que yo, y me define. Soy un misionero.

Esto lo sé ahora, pero antes pensaba diferente. Pensaba diferente porque constantemente veía, oía y creía que "las misiones" era algo que estaba en otro lugar. Los misioneros eran aquellas personas que apoyábamos a través de las ofrendas especiales de navidad, que nos visitaban y nos enseñaban diapositivas con nativos semidesnudos y nos sorprendían con la complejidad de las lenguas que estaban aprendiendo. Ellos eran los que estaban involucrados en la misión.

Yo era un cristiano normal. Podía evangelizar, pero de algún modo, eso era diferente a unirse a la misión de Dios. Podía invitar a gente a escuchar a un misionero profesional, o a un pastor o evangelista, pero mi tarea principal era centrarme en mí y en mi santificación. Yo era el producto del mismo proceso que muchos de vosotros habéis vivido. Y algo se ha roto en ese proceso porque, como yo, probablemente tampoco te veías (o no te ves) como un misionero. Y eso es triste. Porque si sigues a Jesús, le estás acompañando en

Su misión, y eso también te hace misionero.

El sistema en el que crecí era jerárquico y estaba dividido. Dentro de la iglesia había tres tipos de personas: los cristianos normales, los pastores y otros líderes de iglesia, y los misioneros. Cuando más escalabas, más comprometido estabas. Todos los cristianos tenían que servir en la iglesia, pero estaban aquellos que tenían el llamado a servir como líderes. Llegaban a ser pastores y dirigían iglesias llenas de cristianos normales. Eran personas comprometidas, pero las personas más comprometidas de todas eran los misioneros. La jerarquía tenía la siguiente forma:

Este modelo dio forma a una cultura caracterizada por la jerarquía y el privilegio, y a su vez por una falta de identidad para todos aquellos que quedábamos bajo la categoría de "cristianos normales". También alimentó una identidad falsa en aquellos que quedaban bajo la etiqueta de pastores y misioneros. Los cristianos normales empezaron a verles como superhéroes cristianos, y empezaron a poner en ellos expectativas desmedidas. De ese modo surgió una separación entre ambos grupos, lo que causó una desconexión que distanció aún más a los misioneros del resto de la iglesia. Los misioneros empezaron a trabajar juntos y se crearon las (bienintencionadas) agencias misioneras que les permitiría ir a las gentes y a los lugares a los que Dios los enviaba. Y funcionó. Enviaron a multitud de misioneros a todo el planeta y millones de personas oyeron el evangelio y creyeron. ¡Alabado sea el Señor!

Pero como esa separación seguía creciendo, los misioneros se convirtieron en "profesionales cristianos" y las iglesias delegaron más y más la responsabilidad de las misiones en las agencias misioneras. En consecuencia, la identidad misionera de cada hijo de Dios siguió difuminándose y las iglesias locales perdieron de vista la misión.

Este modelo de misiones fue arraigando más y más en las iglesias, hasta que se convirtió en la norma. Las consecuencias han sido enormes, pues la identidad de los creyentes ha quedado afectada. Se trata de un modelo defectuoso.

Aquí puedes ver un diagrama que refleja este modelo de misión:

LOS CAMINOS A LA MISIÓN

ESPÍRITU SANTO
El Espíritu envía

AGENCIA MISIONERA
Ministerio según la estrategia y la estructura de la agencia

DESDE EL PUESTO DE TRABAJO
Ministerio a través de la profesión

EL MISIONERO INTERACTÚA
Testimonio cristiano entre no creyentes
↓
DISCIPULADO
Hacer discípulos
↓
IGLESIA LOCAL AUTÓCTONA

En este diagrama de los caminos tradicionales a la misión hay dos formas de entrar en el campo como misionero. Si una persona se siente llamada a las misiones, puede ser transferido desde su trabajo o puede unirse a una agencia misionera. Ambos caminos pueden llevar al misionero al campo y le dan la oportunidad de interactuar con los no creyentes, de hacer discípulos y de plantar una iglesia autóctona. El método ha funcionado. El proceso se ha vuelto más eficaz con el paso de los años, y como resultado muchos han depositado su fe en Cristo. ¡Alabado sea el Señor!

Entonces, ¿cuál es el problema?

El problema es que ahora hay misioneros por todo el mundo que prácticamente no tienen ninguna conexión con iglesias locales que los amen y cuiden, los pastoreen y se unan a ellos en la misión. Y además hay iglesias llenas de cristianos normales que hablan de ser "misionales" pero no pueden aprender de aquellos que han hecho el salto transcultural para llevar el evangelio. Están hablando de misión sin la contribución de los misioneros.

Creemos que hay un mejor camino. Estamos agradecidos por los misioneros que han abierto el camino y las agencias misioneras que les ayudaron a ir. Damos gracias a Dios por el trabajo que han hecho y continúan haciendo. Sin embargo, lamentamos la desconexión que ha habido como resultado del modelo de misiones actual. Reprochamos que la Iglesia haya delegado la Gran Comisión y que en general se haya desentendido de la misión global de Dios; pero celebramos el creciente interés y la conversación actual sobre la misión global, y queremos aportar a la conversación.

13

La Gran Comisión fue dada a la Iglesia, y la Iglesia (las iglesias locales) tiene la responsabilidad de llevarla a cabo. Los ministerios paraeclesiales son un regalo increíble para la Iglesia, pero solo cuando trabajan codo a codo con las iglesias, que es lo que debería ser. Compara este nuevo diagrama con el anterior, fijándote en los cambios:

LOS CAMINOS A LA MISIÓN

EL ESPÍRITU SANTO

El Espíritu envía

	IGLESIA LOCAL Confirma el llamado, luego tiene múltiples opciones para enviar	LA PERSONA BUSCA TRABAJO →	DESDE EL PUESTO DE TRABAJO Ministerio a través de la profesión
← DELEGA EN LA AGENCIA	←		
ENVÍA EQUIPO	←		
SOCIOS CON AGENCIA	**LA IGLESIA ENVÍA**	LA IGLESIA ENVÍA, EL TRABAJO APOYA	
COORDINA DESDE CASA	La iglesia conserva la autoridad para enviar ORGANIZA Y ENVÍA A	ENVÍA A TRAVÉS DE PLATAFORMA	
EQUIPO DE LA IGLESIA Ministerio subvencionado por la iglesia			
CONTACTO CON EL PAÍS DE ENVÍO	←		
	PRESENCIA A CORTO PLAZO Rotativo, viajes frecuentes, etc.	PRESENCIA A MEDIO PLAZO Prácticas, estudiantes, proyectos, etc.	MINISTERIO EN EL LUGAR DE TRABAJO Ejercer la profesión propia, sin ánimo de lucro, pequeñas empresas
	CORTO PLAZO		
	←		←
EL MISIONERO INTERACTÚA Testimonio cristiano entre no creyentes			
←			
DISCIPULADO Hacer discípulos			
←			
IGLESIA LOCAL AUTÓCTONA			

Como puedes ver en este nuevo diagrama, la iglesia local conserva la autoridad para enviar que Jesús le dio en la Gran Comisión. Los caminos tradicionales a la misión aún existen, pero como dos opciones entre muchas otras de envío por parte de la iglesia local, no como "agentes libres" separados de la iglesia. La iglesia sigue teniendo la autoridad sobre las personas que envía y de hecho les ayuda a determinar cómo interactuar con los no creyentes. Los misioneros, a través de la iglesia local que les envía, reciben amor y pastoreo, y la iglesia local cosecha el beneficio de aprender de la experiencia de aquellos que están en el campo.

Como resultado, las personas de la iglesia local se convierten en colaboradores de lo que ocurre en el campo y aprenden a pensar y actuar como misioneros tanto global como localmente. La experiencia que adquieren al trabajar junto a los que envían a un contexto distinto les ayudará a entender cómo vivir en base a su identidad como embajadores de Cristo y de su reino. Aprenderán a ser lo que ya son: misioneros. En su propia cultura y en su propio contexto.

¿Recuerdas el diagrama jerárquico que separa a los cristianos normales de los pastores y de los misioneros? Imagina que el triángulo desaparece, que las divisiones se borran y que se forma un grupo enorme de personas a las que llamamos "misioneros". Algunos de los misioneros tienen el don de pastor, de maestro, de evangelista, de apóstol, de profeta y juntos lideran las iglesias. Algunos de los misioneros tienen un llamado a ir a tierras lejanas. Otros misioneros son músicos, escritores, abogados, banqueros, cocineros, comerciales y jardineros y no se mudarán a tierras lejanas. De hecho, puede que nunca se muden fuera de su ciudad natal. Se quedan donde están y hacen aquello que se les da bien. Pero si las hacen es solo por la soberanía de Dios. Sin embargo, todos son misioneros por la gracia de Dios.

Existe un camino mejor.

Como mencioné anteriormente, formé parte de la plantación de una iglesia en mi ciudad. Fui pastor de esa iglesia durante más de diez años, y nunca me habría llamado a mí mismo "misionero". No sabía lo que era pensar y actuar como un misionero. Tampoco sabía que debía pensar y actuar como un misionero. Trabajaba en aquella ciudad sin tener en cuenta mi propia identidad y la libertad y el poder que la acompañan. Afortunadamente, hubo personas lo suficientemente amables y lo suficientemente valientes como para mostrarme mi error.

Doy gracias a Dios porque los otros tres autores de este libro, a los que tengo el privilegio de llamar amigos y colaboradores, vinieron a mi ciudad y compartieron sus historias con algunos amigos y conmigo. Llegaron hablando un idioma que yo no entendía, pero que hizo que algo se despertara dentro de mí. Era el idioma del misionero. Era mi idioma, un idioma que ansiaba conocer. La amabilidad que estos amigos me mostraron me transformó, pero también me ayudó a animar a los que yo pastoreaba a ser misioneros.

Un par de años después me uní como obrero a tiempo completo al equipo de Upstream, con el objetivo de ayudar a otros a experimentar lo mismo que yo experimenté: ayudarles a pensar y a actuar como misioneros, algo que yo aún estoy aprendiendo.

Este libro es un recurso diseñado para ayudar a los misioneros a avanzar en ese proceso. Es para pastores, fontaneros, guitarristas, contables, deportistas profesionales y personas que están a tiempo completo en el ministerio.

Considera las palabras del gran predicador Charles Haddon Spurgeon:

Si Jesús es precioso para ti, no podrás guardarte las buenas noticias para ti; se las susurrarás al oído a tu hijo; le hablarás de ellas a tu marido; las compartirás de todo corazón con tu amigo; sin el carisma de la elocuencia serás más que elocuente; tu corazón hablará y tus ojos brillarán cuando hables de su dulce amor... *Es imposible tener un gran aprecio por Jesús y no hablar nunca de él.*[1]

INTRODUCCIÓN

[Capítulo 1]

Caleb Crider

En la película *Spy Game* (Juego de espías) de 2001, el veterano agente de la CIA Nathan Muir, protagonizado por Robert Redford, entrena a su nuevo aprendiz Tom Bishop, protagonizado por Brad Pitt, a pensar y a actuar como un espía. Con la sabiduría que le otorga la experiencia, Muir enseña a Bishop "los trucos del oficio". Observar sin ser detectado, reunir información útil desechando todo lo que no es importante. Ganarte la confianza de alguien, porque los favores de "amigos" pueden ser tu salvación. No dar información personal, cierta o no, porque tu historia deberá ser coherente en futuras interacciones. No te apegues demasiado a aquellos que has convencido para que te ayuden —conocidos como confidentes— porque los sentimientos te nublan el juicio y a los demás les confiere poder sobre ti. La sesión de formación solo dura unos minutos, pero es un buen ejemplo de las habilidades básicas necesarias para el espionaje que solo se pueden pasar de un espía a otro.

Estamos hablando del conjunto de conocimientos que debe reunir todo trabajador especializado. El herrero logra solidificar un objeto sumergiendo el hierro candente en agua fría antes de recalentarlo de nuevo. El ebanista usa medidores y marcadores especiales en lugar de una cinta métrica común porque en ebanistería hay que ser muy preciso. El marinero de forma automática se fija en el color del cielo al atardecer porque le dice qué tiempo hará al día siguiente. Son el tipo de habilidades que diferencian a un mero trabajador del maestro artesano. El trabajador especializado se basa en la sabiduría que le da la experiencia. Esa es la razón por la que la mayoría de profesiones requieren un periodo de aprendizaje.

Desde tareas rutinarias como cocinar o limpiar hasta acciones más complejas como tocar un instrumento o usar un ordenador, casi todo lo que hacemos requiere cierto grado de pericia. Las habilidades motoras finas nos permiten deslizar un bolígrafo sobre el papel con el control suficiente para formar caracteres legibles. La capacidad de razonamiento nos ayuda a tomar miles de decisiones cada día. Las habilidades sociales hacen posible que nos podamos relacionar con los demás. En la vida, necesitamos tener habilidades.

Con los años, desarrollamos nuevas habilidades. El conductor novel que apenas puede mantener el coche en su carril con el tiempo se siente tan cómodo conduciendo que lo hace casi sin pensar. Empieza a pensar que puede hablar por teléfono, comer y afeitarse —todo a la vez— mientras conduce al trabajo. Lo que un día le daba tanto miedo o le parecía tan complicado, ahora le parece un juego de niños. Cuando ya hemos aprendido las habilidades básicas, podemos aprender habilidades nuevas; las básicas nos ayudan a aprender cómo aprender algo nuevo. Cuando nos volvemos más competentes, nuestra capacidad para improvisar aumenta. Un trabajador cualificado es capaz de ajustarse a situaciones distintas y aun así seguir siendo fiel a su propósito.

En la vida cristiana también necesitamos tener habilidades. Leer e interpretar la Biblia requiere que uno tenga algo de conocimiento sobre el contexto de las Escrituras. La decisión consciente de negarse a uno mismo y seguir a Cristo es una lucha constante que solo se convierte en un hábito por medio de la práctica. Orar, ayunar y tomar un día de descanso son conductas aprendidas que a la mayoría de nosotros no nos salen de forma natural. Son habilidades que se adquieren por medio de la instrucción y que se vuelven familiares gracias a la repetición. Alguien que ha llegado a dominar la habilidad se la enseña a quienes necesitan aprender esa habilidad. A esto, Jesús lo llamó discipulado.

El gran abismo

Llevaba unos seis años como plantador de iglesias en Europa del Este cuando empecé a darme cuenta de lo enorme que era el abismo que había entre las iglesias y la misión de Dios. A lo largo del año recibíamos a grupos de diferentes iglesias de los EE. UU. que venían a ayudarnos en nuestro ministerio. Para ellos, aquello era un "viaje misionero", pero para nosotros era la vida real. Queríamos tratarles como iguales: un poco de comunión, animarnos mutuamente, para luego salir a interactuar con la gente y hablarles del evangelio. Pero en general, a pesar de sus buenas intenciones, misionológicamente hablando los participantes de estos viajes eran analfabetos. Eran incapaces de participar de la misión transcultural de una forma significativa.

Un lunes por la mañana, enviamos a un grupo de universitarios estadounidenses a visitar la universidad local para aprender todo lo que pudieran sobre el clima espiritual del campus. Oramos, dividimos al grupo por parejas y les enviamos a la universidad. De los seis equipos, dos tuvieron problemas para entender el sistema del metro y nunca llegaron al campus. Dos equipos jugaron al *frisbee* en el campo de fútbol y en todo el día no hablaron con ningún estudiante. Un equipo elaboró rápidamente un "cuestionario" y se acercó aleatoriamente a estudiantes del campus para preguntarles sobre cuestiones espirituales. Como las pocas conversaciones que tuvieron fueron bastante negativas, se desanimaron. Ninguno de los equipos regresó con una comprensión significativa del estado espiritual de los universitarios locales.

Esos grupos eran muy buenos haciendo lo que se les pedía. En viajes anteriores, todos habían pintado vallas, repartido mantas y jugado con los niños. Durante los diez días que había durado el viaje, no les había importado dormir en el suelo, caminar largas distancias y sentirse fuera de lugar en aquel lugar "extraño". Pero cuando les preguntabas cuáles eran las razones por las que hacían todo aquello, cuáles eran los porqués de la misión, la mayoría de ellos solo apuntaba al vago concepto de "alcanzar a las personas" y a desempeñar una tarea que tenían el deber de realizar.

Así, cuando les pedimos a esos voluntarios que salieran a encarnar el evangelio, no sabían exactamente qué significaba aquello ni cómo hacerlo. Para ellos, los conceptos de vida urbana, grupos sociales y personas de paz eran totalmente desconocidos. No tenían experiencia en recabar información geográfica, social y espiritual pertinente, información muy útil para la plantación de iglesias. No estaban familiarizados con el evangelio inmutable, y tenían miedo de la cultura. Peor aún, muy pocos tenían claro por qué estaban participando de un viaje como aquel. Sin las habilidades misioneras básicas, un cristiano es incapaz de pasar de un mero voluntariado a realmente participar en la misión.

Identidad misionera

Las habilidades misioneras más básicas son las que tienen que ver con el pensamiento misionero y la práctica misionera.

Para muchos cristianos de Occidente, "misionero" es una profesión que implica levantar fondos, mudarse a otro país, comer comida extraña y hablarle a la gente de Jesús. Existe una larga tradición de este tipo de misionero, desde el trabajo de William Carey en la India, pasando por los esfuerzos de Lottie Moon en la China, hasta la interacción de Nate Saint con las tribus de Ecuador. Pero la misión no tiene que ver con la ubicación, sino con la identidad. Dado que somos seguidores de un Dios misionero que se ha revelado a través de Su Hijo misionero, la misión es un elemento esencial de nuestra identidad como cristianos.

La misión no es algo que hacemos, es lo que somos. Los padres de la Iglesia usaban la palabra "misión" para referirse a la interacción entre las personas de la santa trinidad: el Padre envía al Hijo, y ambos envían al Espíritu. A la comprensión más básica de la misión se la ha llamado *Missio Dei*, la misión de Dios. En tiempos modernos, el término "misión" se ha usado en referencia a los propósitos de Dios de extender esa comunión divina a la humanidad a través de Cristo. Desde el principio, Dios se ha revelado como un Dios misionero. Todo lo que Él hace tiene que ver, o bien con enviar, o bien con reunir.

Lo que sabemos de Dios lo sabemos porque Él nos lo ha revelado, y Él se ha revelado como redentor de la humanidad. Esa es Su naturaleza. Como dice el misionólogo David Bosch: "La misión no es principalmente una actividad de la iglesia, sino un atributo de Dios. Dios es un Dios misionero".[2] Si nuestra comprensión de Dios es estrictamente bíblica, no pasaremos por alto que el

Padre es un misionero. Cierto, Él se ha revelado como Padre, Creador, Juez y Rey, pero siempre con una misión.

A lo largo de la historia, la interacción de Dios con la humanidad es única en el sentido de que Él no solo se comunica con las personas, sino que las envía. La misión de Noé era salvar a los animales y repoblar la tierra.[3] A Abraham lo envió a un nuevo lugar para empezar una nueva nación a través de la cual Dios bendeciría a todas las naciones.[4] A Moisés lo envió a sacar a los hebreos de la esclavitud.[5] Envió incluso a misioneros reacios a ir: José[6] y Daniel[7] fueron en contra de su voluntad, Jacob[8] fue perseguido y Jonás, empujado por un pez.[9] Todos estos ejemplos son parte de la misión de Dios. Cuando decimos que Dios envió a estos hombres, no solo lo inferimos, sino que Dios de hecho usa las palabras "Yo te envío...". En cada uno de esos casos, el mensaje de Dios es "Ve", y el propósito, "para ser un agente de salvación".

Donde vemos todo esto de forma más clara es en Cristo mismo, el Hijo que fue enviado por el Padre. En pasajes como Juan 14, Jesús deja claro que verle a Él es ver al Padre que le envió.[10] El Dios encarnado es Dios haciendo la misión entre nosotros. Proclamó que Él era el evangelio y lo demostró delante de todos. La misión no era algo que hizo, es lo que Él es. Bosch se refiere a esta realidad como la "autodefinición" de Cristo, y arguye que todos sus seguidores compartían la misma "autodefinición".

Los primeros seguidores respondieron al evangelio como agentes durmientes que han sido despertados. Ocurrió lo mismo con Mateo,[11] Pedro y Andrés,[12] y todos los que estaban presentes en Pentecostés;[13] oyeron la voz de Dios y fueron. Recibieron el llamado a seguir a Jesús, a unirse a Él en Su misión. Las varias "comisiones" que encontramos en las Escrituras no son actividades opcionales para unos pocos y selectos seguidores de Jesús; son recordatorios de que, en Cristo, todos somos enviados. Aquellos primeros seguidores de Jesús lo sabían. Entendieron que su condición de "enviados" era una parte esencial de su identidad.

No tiene sentido hablar de nuestra fe, nuestro Salvador, o incluso nuestro Dios fuera del contexto de la misión. Cualquier discurso sobre el fin de la misión debería sorprendernos. ¿Cómo conoceremos a Dios si Él detiene Su misión? Eso no es lo que nos ha revelado. La iglesia existe para organizar a los hijos de Dios en torno a la misión. Sin misión, no hay iglesia y no tenemos una conexión significativa los unos con los otros. Dios ha establecido que nuestra relación con Él y los unos con los otros sea en el contexto de la misión para redimir al mundo.

Así, los misioneros profesionales no son los únicos que necesitan aprender habilidades misioneras. Todo seguidor de Cristo necesita saber cómo relacionarse con personas diferentes para ser "embajadores" del reino aquí en la tierra.

Desgraciadamente, hemos eliminado del discipulado la mayoría de las habilidades misioneras. Los pastores enseñan a sus iglesias a estudiar la Biblia, a cuidar a sus familias, a dar generosamente y a servir con integridad. Pero se olvidan de elementos vitales para la misión como la exégesis contextual, la comunicación transcultural y el discipulado en grupo. No enseñan a sus iglesias a detectar puentes y barreras para el evangelio y a hacerse camino. Asumen que las personas espiritualmente maduras saben lo que tienen que saber para conectar con el mundo.

Pero no saben.

Ser misionero requiere tener una serie de habilidades. No es algo que nos salga de forma natural. Para compartir nuestra fe de forma eficaz hace falta práctica, hace falta tomar la decisión deliberada de salir de nuestra propia cultura y confort con tal de hacer discípulos más allá de nuestras propias líneas fronterizas.

Somos tanto "misioneros" como "nacionales"

En el mundo de las misiones se suele hacer una distinción entre los "misioneros" —aquellos que han sido enviados deliberadamente a otra cultura— y los "nacionales" —aquellos que están en el extremo receptor del ministerio misionero. Sin embargo, estamos convencidos de que los cristianos tienen que entender que cada uno de nosotros somos *tanto* misioneros *como* "nacionales". Es decir, en Cristo, somos los enviados, pero también somos receptores de las buenas noticias.

Este libro es para cristianos de todo el mundo que se ven a sí mismos como piezas que Dios ha colocado de forma estratégica ahí donde están. Escribimos para denunciar esa vieja tendencia en la iglesia a alejarnos de nuestra identidad misionera, pero reconocemos que el extremo contrario sería igual de peligroso. Cuando nos vemos estrictamente como "misioneros", empezamos a pensar que las reglas culturales no son para nosotros. Por tanto, buscamos atajos a la hora de comunicar y discipular, adoptando metodologías pragmáticas que no son comunes entre los habitantes de esa zona y que nosotros mismos nunca emplearíamos si fuéramos uno de ellos. De ese modo, desatendemos nuestra responsabilidad de mostrarles qué significaría para ellos vivir como seguidores de Jesús en su propio contexto cultural.

Las habilidades que presentamos en este libro son útiles tanto para obreros a todo tiempo como para mamás que trabajan en casa, doctores, conserjes, músicos y matemáticos. Algunas de ellas quizá se apliquen a unos más que a otros, o en unos momentos más que en otros. Pero, como veremos, son aplicables a todos por igual.

Los trucos del oficio

En los capítulos siguientes no nos vamos a centrar en la importancia de la misión. Nuestro objetivo no es convencerte para que te involucres en la misión. En cambio, cubriremos nueve habilidades básicas que a nuestro entender son fundamentales para la mentalidad y la labor misionera. Estas habilidades se suelen enseñar a los misioneros transculturales antes de ir al extranjero. Pero no son solo las habilidades del misionero transcultural: es necesario y vital que, en el contexto de la iglesia local, todas las iglesias las enseñen a todos los creyentes sea cual sea su vocación.

Algunas de estas habilidades las encontramos en muchos cristianos maduros, y otras parecen, sin embargo, totalmente desconocidas. Quizás vives en la ciudad en la que naciste, quizás te has mudado deliberadamente para vivir entre personas diferentes a ti por causa del evangelio. Tanto si te dedicas al ministerio como si simplemente vives una vida misional, aplicar estas habilidades es clave para que tu iglesia obedezca su llamado a participar de la misión global de Dios.

Empezamos con un capítulo sobre cómo ser guiados por el Espíritu, en el que veremos de qué forma una iglesia determina, no si Dios quiere que sus miembros se involucren en Su misión global, sino dónde y cómo quiere que se involucren. Lo habitual en muchos círculos misioneros es seguir estadísticas y estrategias, pero eso podría privar al Espíritu Santo de su rol como Aquel que envía a la Iglesia. ¿No deberíamos por defecto obedecer la guía del Espíritu, aunque esta no encajara con nuestras estrategias o expectativas? Para alinearse con el Espíritu y descubrir cuál es Su lugar en la misión, es preciso que el misionero tenga comunión continua con Dios. Exploraremos —desde una perspectiva bíblica y práctica— qué significa ser guiado por el Espíritu, y lo haremos con el objetivo de mostrar que la misión empieza y se sostiene por el liderazgo del Espíritu Santo.

Al llegar al campo de misión, lo primero que cualquier misionero hace es empezar por conocer la tierra. Debemos familiarizarnos con la geografía, el contexto social y el clima espiritual. Y lo hacemos por medio de la habilidad misionera del mapeo, que consiste en recabar información por medio de la observación y documentarla para poder colaborar, planificar y orar. Así es como un misionero descubre quién vive dónde, y de qué forma las distintas experiencias de los habitantes de la ciudad afectan su perspectiva social y espiritual.

Conocer e involucrarse en las vidas de las personas a las que has sido enviado es comenzar a seguir el ejemplo de Cristo, el ejemplo de la encarnación. El mapeo es una herramienta útil para el misionero que llega a una nueva ciudad, al igual que lo es para el misionero que empieza a ver su ciudad como el lugar al que Dios le ha enviado. Comprender las fronteras sociales, económicas, espirituales y culturales es esencial en cualquier trabajo encarnacional, y ningún misionero que quiera impactar su comunidad de forma efectiva con el evangelio puede pasarlas por alto.

Cuando el misionero ha compilado el mapa puede empezar la exégesis cultural. Me refiero al proceso de encontrar los puentes y las barreras para la comunicación del evangelio y de empezar a responder de qué forma el evangelio inmutable realmente es "buenas noticias" para la gente a la que sirves. El apóstol Pablo fue modelo de esta conducta misionera; toda cultura y subcultura se hace eco o conserva algún vestigio de la verdad de Dios. La exégesis cultural es la exploración misionera de una cultura desde una perspectiva del reino. Pueden ser cosas sutiles: por ejemplo, el cuidado de la propiedad nos da una idea del perfil demográfico de un vecindario. El análisis de las leyendas y las mitologías locales puede mostrarnos las creencias reales de un grupo de población. Una buena mirada a las estructuras sociales puede sacar a la luz los ídolos de un segmento de la población. Cualquier ministerio que pretenda llevar el evangelio a un grupo concreto precisa contar con esta habilidad. Sin una buena comprensión de cómo es la gente a la que ha sido enviado, un misionero no puede demostrarles que el evangelio son buenas noticias para ellos porque no ha entendido de qué forma concreta el evangelio es buenas noticias para ellos.

Hasta cierto punto, la exégesis cultural puede hacerse desde lejos, pero su propósito es ayudar al misionero a "acercarse" a la gente sobre la que está aprendiendo. La razón por la que aprende sobre la cultura es descubrir cómo piensan y viven para poder entablar relaciones. Las relaciones son el medio que nos permite desarrollar un ministerio encarnacional, y construir relaciones no siempre es tarea fácil, especialmente para los que vienen de fuera. Por naturaleza, todos los cristianos somos "forasteros", porque somos leales a otro reino y a otro Rey y tenemos una cosmovisión enormemente distinta a la "del mundo". Por tanto, entablar relaciones con no creyentes precisa de una habilidad particular, independientemente de si el misionero está en su propia cultura o al otro lado del mundo. Para que se den conversaciones profundas de carácter espiritual tiene que haber una base. Para que haya historias impactantes debe haberse construido un fundamento sólido. Ese fundamento son las relaciones, y si el misionero espera poder compartir algo tan inmensamente personal y abiertamente objetivo como el evangelio, debe dedicar tiempo a construir relaciones. No hacerlo puede llevar a una comprensión profundamente errónea y a un rechazo absoluto del evangelio, o a un desengaño que produzca desconfianza y arruine la oportunidad que podría haber tenido de compartir el evangelio con alguien. Por tanto, construir relaciones es una de las cosas más importantes para un misionero, y para muchos, es una habilidad difícil de desarrollar.

Aunque construir relaciones puede ser bastante difícil, hay alguien que nos puede ayudar, aparte, claro está, del Espíritu Santo. Simplemente tenemos que encontrarle, cada uno en nuestro contexto. ¿Te has preguntado alguna vez cómo sería tener un encuentro con el Presidente? ¿O tomarte un café con tu estrella de cine favorita? ¿O comer con tu deportista favorito? ¿Alguna vez has intentado que eso se haga una realidad? Para muchos de nosotros, suena casi imposible. O sin el "casi". Al menos, claro está, que conozcas a "alguien". Si resulta que conoces a alguien que conoce al agente de tu estrella de rock favorita, y le sobornas para que te revele qué hará durante el día, puede que llegues a tomar café con ella (hasta que aparezca la policía). No obstante, sin ese tipo de contactos, para la mayoría de nosotros sería totalmente imposible.

En la vida real, tener contactos puede ser maravilloso, y los contactos son personas infinitamente valiosas. Cuando Jesús les estaba dando instrucciones a Sus discípulos antes de enviarles a un viaje misionero de corto plazo, les habló de personas que Dios había designado de antemano para que les abrieran las puertas a su círculo social. Se refiere a estas personas como "personas de paz". Para el misionero, encontrar a estas personas tiene un valor inestimable para su trabajo de llegar a la gente a la que Dios le ha llamado. La habilidad de identificar a ese tipo de personas y caminar de su mano para construir nuevas relaciones es una herramienta que fortalece enormemente la competencia de un misionero.

A menudo con la ayuda de la persona de paz, el misionero logra identificar e incluso ser bien recibido en ciertos círculos sociales, como por ejemplo la propia tribu de esa persona de paz. La habilidad de reconocer y tener acceso a ciertos círculos sociales es imprescindible para el misionero. Plantar una iglesia entre no creyentes puede ser como encontrar un asiento en la cafetería del instituto. La mayoría de la gente con la que nos encontramos ya están conectados en círculos sociales muy cohesionados que les ayudan a comprender el mundo que les rodea. Estas tribus han sustituido en gran parte a la familia, clan o grupo étnico, que eran la principal influencia social de una persona. Puede que algunos vean la existencia de estos grupos —con sus reglas no escritas, fronteras difuminadas y sus diferencias matizadas— como barreras para la extensión del evangelio. Sin embargo, el misionero no ve estos grupos que se han formado de manera natural como barreras, sino como oportunidades para que el evangelio eche raíz de forma autóctona. Ve iglesias nuevas. Por tanto, la habilidad de reconocer y acceder a esas tribus es una herramienta innegociable para hacer la misión.

En última instancia, la capacidad del cristiano enviado a una cultura para transmitir el evangelio de forma relevante requiere la habilidad de la contextualización. Consiste en traducir el evangelio de una cultura a otra. Es la habilidad del creyente de mostrar que el evangelio, que no cambia, tiene sentido en todas las culturas, que siempre están cambiando. La necesidad de la contextualización se ve claramente en el área del lenguaje: el misionero debe asegurarse de comunicar el mensaje de Cristo en un lenguaje que los receptores entiendan. Pero el contexto va más allá del ámbito lingüístico. El contexto hace referencia a la cosmovisión: religión, identidad, historia, estatus socioeconómico, etcétera. Una buena contextualización requiere pericia; sin esta, el evangelio se acaba perdiendo en medio de la opacidad o la familiaridad cultural.

Entender y conectar con el contexto cultural de la gente a la que has sido enviado requiere encontrar puentes para entablar relaciones de un modo culturalmente apropiado. Tanto en el extranjero como en tu propia ciudad, existen formas establecidas de entablar relaciones. Para conectar con la comunidad, las iglesias locales hacen uso de herramientas como los propios servicios dominicales, eventos especiales o programas para la comunidad. Esas cosas pueden ser eficaces, pero el descenso en la asistencia a la iglesia en EE. UU. en las últimas décadas nos dice que el alcance de estas herramientas ha disminuido. Sin embargo, cada vez se tiende más —y con razón— a buscar formas de llegar a los grupos que ya existen de forma natural. El lugar de trabajo, la escuela, el parque, las tiendas y el polideportivo del barrio son lugares donde se hace comunidad. Los misioneros reconocen esos lugares como las placas de Petri para el cultivo de las relaciones. En la línea de lo que comentábamos de las iglesias locales, la forma más común de adentrarse en una cultura extrajera era a través del estatus de "misionero" —persona dedicada exclusivamente al ministerio. Pero cada vez hay más formas alternativas de ir a otras culturas.

Muchos países están cerrados al evangelio, así que para poder entrar hace falta tener una razón distinta. Hay culturas que no están necesariamente "cerradas" al evangelio, pero se muestran totalmente indiferentes —en el mejor de los casos— ante la presencia de un misionero cristiano. O bien no entienden por qué ha venido, o bien les molesta su presencia, por lo que establecer esos contactos clave para la transmisión del evangelio se vuelve realmente difícil. Si el misionero llega a una cultura con una razón para estar ahí similar a la de los habitantes de ese lugar, entonces se evitan esas barreras relacionales que provoca la llegada de un "misionero a todo tiempo". La forma más común de lograrlo es por medio del trabajo. Si el misionero produce algo que puede ofrecer a la comunidad a la que ha llegado y que además es su medio de sustento, es mucho más fácil llegar a formar parte de la comunidad. El trabajo también le proporcionará una forma natural de iniciar y desarrollar relaciones. Reconocer vías alternativas para ir a la misión es otra herramienta que los misioneros necesitan desarrollar urgentemente.

Cuando las relaciones crecen y las oportunidades para compartir el evangelio dan fruto, empieza a haber nuevos creyentes. La pregunta que surge entonces es qué hacer con esos nuevos discípulos. ¿Buscamos una iglesia local en la que se puedan integrar? ¿Empezamos algo nuevo? Si empezamos algo nuevo, ¿qué formato debería tener? Piensa en el formato de una plantación de iglesia en San Francisco, Nueva York, Atlanta, Nashville, Nueva Delhi, Hong Kong o Estambul. ¿Tienes una imagen en mente? ¿En qué sentido nuestra nueva iglesia debería parecerse a ellas? ¿En qué sentido debería ser distinta? La Gran Comisión no dice "Id por todo el mundo y plantad iglesias y organizad servicios de adoración creativos". Dice "Id por todo el mundo y haced discípulos". Cuando vamos por el mundo y plantamos iglesias tendemos a crear iglesias que se parecen a las iglesias de las que provenimos. Después de todo, nuestro pragmatismo nos lleva a pensar que, si funciona en casa, puede funcionar en cualquier lugar. Pero esta actitud pasa por alto la habilidad misionera de proteger lo autóctono. El resultado de nuestro trabajo debería ser iglesias independientes, autóctonas y bíblicas que reflejan la tierra en la que están plantadas. ¿Y si recrear en otras partes del mundo lo que funciona en casa no solo es ineficaz, sino que además daña la reproducción de discípulos?

Las habilidades misioneras son las herramientas que hacen posible que puedas hacer lo que fuiste llamado a hacer. Practícalas hasta que te salgan de forma natural y estarás preparado para hacer ministerio en cualquier contexto. Nuestro deseo es que, al dominar estas habilidades, los miembros de tu iglesia podrán pensar y actuar como los misioneros que son.

Esta lista de habilidades no es exhaustiva. Hay muchas más que aprender y emplear. Las habilidades que hemos escogido y desarrollado en las páginas que siguen son básicas, importantes, prácticas y relativamente desconocidas.

Todos los cristianos a la misión

El contenido de este libro puede sonar parecido a otros recursos sobre la misión transcultural. Eso es así porque lo que hemos hecho es aplicar las habilidades del misionero transcultural a los ministerios y al cristiano en todo lugar. Pero si algo de lo que hemos escrito te resulta familiar al principio de los capítulos, te resultará menos familiar a medida que vayas avanzando. Hemos hecho ajustes deliberados en los conceptos que aquí tratamos para presentarlos de una forma clara, bíblica y aplicable a la iglesia local.

De hecho, algunas de las cosas que hemos escrito son lo opuesto a los mensajes que tradicionalmente nos llegaban sobre la misión. Por ejemplo, en el capítulo sobre seguir al Espíritu, no damos por sentado que has sido llamado a ir a un grupo no alcanzado. Cuando describimos el concepto de la persona de paz que aparece en Lucas 10, nos aseguramos de mencionar que encontrar a esa persona puede suponer una ayuda, cierto, pero también una distracción. Hemos reunido, sintetizado y aplicado ideas de forma distinta a como lo hicieron quienes las propusieron originalmente. Nuestro objetivo no es promover la innovación de forma ciega, sino ayudar a las iglesias a pensar y actuar como misioneros en su propia casa, y a hacerlo de forma intencional.

Sospechamos que a algunas personas del ámbito de las misiones les molestará el hecho de que compartamos libremente lo que normalmente está reservado para los profesionales. Los capítulos sobre el mapeo y la autoctonía ciertamente entran en el terreno de los seminarios y las agencias misioneras. Pero creemos firmemente que ha llegado el momento de acabar con la distinción entre "misiones" y "ministerio en casa". Queremos que los recursos para la misión estén al alcance de todos los cristianos para que puedan ser los misioneros que están llamados a ser.

Ahora que iniciamos este viaje para explorar las habilidades misioneras, te invitamos a que hagas el esfuerzo de aplicar esas habilidades a tu propio contexto. Tanto si sirves en el Lejano Oriente como en Virginia Occidental, creemos que estas habilidades afectarán de forma radical al modo en que te acercas en obediencia a la gente que te rodea con el evangelio de Jesucristo.

SIGUIENDO AL ESPÍRITU

[Capítulo 2]

Larry E. McCrary

Historia de dos iglesias

Joshua es un joven plantador de iglesias en una zona urbana de EE. UU. Él y su mujer plantaron la iglesia dos años después de acabar la universidad. Formaron un equipo de liderazgo con unos pocos amigos de la universidad. A partir de ese modesto inicio, la iglesia creció rápidamente, sobre todo porque se añadieron muchos adultos y familias jóvenes, la mayoría de los cuales tenían muy poco o ningún trasfondo eclesial.

En la actualidad, la iglesia celebra varios servicios dominicales en un espacio alquilado, han llevado a cabo varios proyectos en la comunidad y están apoyando otras dos plantaciones de iglesia en las inmediaciones. En este momento no tienen ningún proyecto ni colaboradores en el extranjero. Sin embargo, Joshua sabe que si quieren llevar a cabo la Gran Comisión y Hechos 1:8, tienen que encontrar la manera de involucrarse en la misión global. Es consciente de que deberían desarrollar esa área y quiere saber cómo empezar.

Shawn es el pastor de misiones de otra iglesia en la misma ciudad que ha experimentado un crecimiento exponencial en los últimos cuatro años. Esta iglesia tiene varios campus o centros y en algunos de ellos utilizan vídeo-tecnología para la enseñanza. Tienen pastores para cada campus, pero gestionan todo el ministerio y el personal desde una ubicación central.

Shawn y su mujer empezaron a asistir a esa iglesia desde sus inicios. Él tenía carga por las misiones e incluso estuvo sirviendo en el extranjero por un período de dos años. A medida que la iglesia crecía, de forma natural se convirtió en el encargado de misiones. Con el tiempo, el pastor le pidió que se uniera al personal de la iglesia como responsable de misiones.

Dado que en los inicios de la iglesia no se marcó una dirección concreta para el área de misiones, empezaron a surgir proyectos misioneros que respondían al deseo de algunas personas de ir a este o a aquel lugar. Como resultado, el ministerio de misiones de la iglesia no tenía una orientación clara. Ahora, la iglesia colabora con varios ministerios locales y globales, pero lo que ocurre es que cada miembro desarrolla su propia estrategia misionera y luego intenta que la iglesia se involucre.

Si escribes en una pizarra la lista de todas esas actividades, el resultado es un número impresionante de iniciativas misioneras. Sin embargo, el deseo de Shawn es que la iglesia no solo apoye económicamente a diversas organizaciones misioneras y de ese modo externalice la Gran Comisión. Él quiere llevar a la iglesia más allá de los viajes misioneros de corto plazo. Su objetivo es reducir la cantidad de lugares en los que se involucran y escoger unas pocas colaboraciones estratégicas en las que involucrarse de forma más intensa. Él, como Joshua, está buscando por dónde empezar.

Estrategias comunes

Si analizamos la forma en la que las iglesias elaboran su estrategia misionera, estas dos iglesias son una buena ilustración. La iglesia de Joshua empieza de cero. Parten de una página en blanco en la que pueden empezar a dibujar qué dirección seguirán en cuanto a la misión. Shawn, en el otro extremo, está viendo de qué forma pasar de una gran cantidad de proyectos dispares a una estrategia misionera más enfocada y más a largo plazo. Está intentado ver dónde dejar de poner los énfasis para definir mejor la labor misionera de la iglesia.

Curiosamente, ambas iglesias tienen que hacerse las mismas preguntas: ¿"a quiénes" y "a dónde" nos envía Dios? Estas preguntas darán claridad y dirección tanto a la iglesia que parte de una página en blanco como a la iglesia que tiene un mar de proyectos inconexos y sin una dirección clara. Durante los años de esfuerzo misionero se han ido elaborando un sinfín de metodologías para determinar las respuestas a estas preguntas. El abanico de criterios es amplio, aunque todas las estrategias buscan cumplir con la Gran Comisión. Destacamos aquí algunos ejemplos:

   Énfasis en la ventana 10/40. El Proyecto Josué (Joshua Project) define la ventana 10/40 como "la zona rectangular que comprende África del Norte, Oriente Medio y Asia situada entre los 10 y los 40 grados al norte del ecuador". También se le ha llamado "el cinturón resistente" e incluye a la mayoría de musulmanes, hindúes y budistas del mundo.[14] Algunos autores usan indistintamente las expresiones "Pueblos del mundo A" (*World A peoples* en inglés) y "Última frontera" (*Last Frontier* en inglés).

   Énfasis en los pueblos menos alcanzados. Este acercamiento defiende que no hay que ir a los lugares donde ya se ha predicado el evangelio. Como muchos han dicho, "¿Por qué dar a alguien la oportunidad de oír el evangelio por segunda vez si aún hay gente que no lo ha oído ni una vez?". Las iglesias deberían ir a los pueblos que nunca han escuchado el evangelio. El misionólogo Gordon Olson dice: "Si se puede escoger y no hay razones de peso que apunten en otra dirección, ¡el obrero cristiano debería escoger el lugar de mayor necesidad! No haber prestado atención a este factor ha provocado una increíble desigualdad en la distribución de obreros".[15] Por esa razón, se debería dar prioridad a los pueblos no alcanzados (grupo poblacional homogéneo que comparte lengua, cultura y religión en el que no hay un movimiento eclesial autóctono con la fuerza, los recursos y el compromiso suficientes para sostener y garantizar la multiplicación continua de iglesias)[16] o a los pueblos no alcanzados ni contactados (pueblos no alcanzados con el elemento añadido de que, hasta donde se sabe, nunca ha habido misioneros enviados a trabajar entre dicho grupo).

☐ Énfasis en grandes centros urbanos de más de 100.000 habitantes donde menos del 2% de ellos han sido evangelizados. Algunos misionólogos sugieren que la gente que vive en las zonas rurales van a la ciudad a vivir y a trabajar, pero regresan a sus pueblos o ciudades pequeñas varias veces al año. Por tanto, si los misioneros centran sus esfuerzos en las ciudades, cuando alguien conozca a Cristo en la ciudad podrá llevar el evangelio a su población natal.

☐ **Invertir en pastores o en plantadores locales.** Los creyentes locales ya conocen la cultura y la lengua y ya están conectados con la gente, mientras que los misioneros transculturales tienen que aprender todas esas cosas y construir relaciones desde cero. Esta estrategia se basa en la idea de que tiene más sentido invertir en estos pastores o plantadores locales porque pueden llevar el evangelio a su propio grupo de forma más rápida y eficaz.

☐ **Invertir en pastores o plantadores de culturas cercanas.** Si dentro de un grupo étnico o cultural no hay cristianos, la mejor alternativa es enviar a alguien de la cultura más cercana. Aunque los misioneros de la cultura cercana no forman parte del grupo no alcanzado, sí viven cerca o incluso ya viven entre ellos. Ya están familiarizados con el contexto cultural y pueden llegar a presentar el evangelio y a plantar iglesias de forma más rápida.

De nuevo, todos estos acercamientos buscan cumplir con la Gran Comisión y pueden ser herramientas útiles para la labor misionera de la iglesia. Aunque podemos aprender de estas estrategias eficaces, debemos identificar la fuente de nuestra guía en la misión. Hay tantos tipos de estrategias que cuando una iglesia tiene que escoger, puede tener la sensación de tener que disparar a ciegas. Las herramientas por sí solas no son suficientes.

¿Cómo saber qué dirección tomar?

En realidad, aunque la iglesia tenga una lista de estrategias, seguirá enfrentándose a las siguientes preguntas: ¿Cómo decidimos a dónde ir? ¿Qué estrategia es la más adecuada para nosotros? ¿Miramos programas, estrategias y estadísticas y basamos nuestra decisión en las investigaciones consultadas?

Sobre todo, es importante que las iglesias se hagan preguntas básicas como estas: ¿Qué dicen las Escrituras sobre cómo desarrollar una estrategia misionera? ¿No se supone que hemos de seguir la guía del Espíritu? La decisión requiere algo más que simplemente escoger de una lista de estrategias o agencias misioneras.

En su clásico libro *The Open Secret*, el misionero y autor Lesslie Newbigin escribió:

> En mi propia experiencia como misionero he visto que los avances significativos de la iglesia no han sido el resultado de nuestras decisiones sobre cómo movilizar y distribuir "los recursos". En mi experiencia, los avances significativos han venido gracias a sucesos similares a la historia de Pedro y Cornelio, sucesos de los que no tenemos un conocimiento previo. Dios abre el corazón de un hombre o una mujer en el evangelio.[17]

La historia a la que Newbigin hace referencia se encuentra en Hechos 10 y en ella vemos cómo Dios, por medio de Su Espíritu, lleva a Pedro a casa de Cornelio. No se trata de una estrategia de Pedro para evangelizar a Cornelio. De hecho, es justo lo contrario. La "estrategia" de Pedro no incluía a los gentiles. Por tanto, sin la guía del Espíritu, la estrategia de Pedro se habría quedado corta pues el evangelio no habría llegado a donde Dios quería. Del mismo modo, aunque las estrategias contemporáneas pueden ser herramientas útiles, pueden quedarse cortas o incluso llevarnos a lugares equivocados o apartarnos del lugar al que Dios quiere que vayamos.

Jesús nos dio un regalo

El relato de Hechos 10 no es, ni de lejos, el único lugar en las Escrituras en el que vemos al Espíritu Santo como el agente que envía. Jesús mismo también habla del papel del Espíritu en la misión:

Y Jesús se acercó a ellos y les dijo: "Se me ha dado toda autoridad en el cielo y en la tierra. Por tanto, id y haced discípulos de todas las naciones, bautizándolos en el nombre del Padre y del Hijo y del Espíritu Santo, enseñándoles a obedecer todo lo que os he mandado. Y os aseguro que estaré con vosotros siempre, hasta el fin del mundo" (Mateo 28:18-20).

La autoridad que Jesús recibió para Su misión venía de Dios el Padre. Sin embargo, Jesús nos pasó a nosotros esa responsabilidad y autoridad. De nuevo, el agente —la guía y la fuerza para enviarnos— es el Espíritu. Jesús les volvió a decir a sus discípulos: "¡La paz sea con vosotros! Como el Padre me envió a mí, así yo os envío a vosotros". Y dicho esto, sopló sobre ellos y les dijo: "Recibid el Espíritu Santo" (Juan 20:21-22).

En su clásico libro *Plan supremo de evangelización*, Robert Coleman escribió: "El propósito inicial de Jesús fue reclutar a un equipo de personas que pudiera dar testimonio de su vida y continuar su obra después de que Él regresara al Padre".[18] Lo que quiere decir es que nuestra labor misionera no es solo nuestra. La misión es de Dios. Del mismo modo en que dirigió y dio autoridad a Cristo, a nosotros nos ha dado la guía y la autoridad del Espíritu (2 Timoteo 2:2).

En el pasaje de Mateo 28:18-20 que mencionamos unas líneas más arriba, Jesús les dijo a sus discípulos que no irían solos a la misión. Les prometió que iría con ellos. En Hechos 1 lo volvió a prometer, pero añadió un detalle: "Pero, cuando venga el Espíritu Santo sobre vosotros, recibiréis poder y seréis mis testigos tanto en Jerusalén como en toda Judea y Samaria, y hasta los confines de la tierra" (Hechos 1:8). El poder para "ser testigos" vendría del Espíritu que iba a morar en ellos. Dios estaría con ellos, pues los enviaba a la misión dándoles autoridad, dirección y fuerzas para la vida misionera que tenían por delante.

Es espiritual

Vemos, por tanto, que la estrategia no es suficiente. Antes de emplear una estrategia, es más, antes de desarrollar una estrategia, tenemos que tener en cuenta el componente espiritual. Esa guía espiritual viene solamente de la comunión estrecha con Dios a través de la Escritura, la oración y la escucha intencional de Su voz. El pastor y autor John Piper escribió sobre cómo discernir el llamado específico de Dios para la vida de cada creyente. Lo que Piper dice también se puede aplicar al llamado misionero y la involucración en la iglesia local:

> En primer lugar, sugiero que te entregues a la Palabra de Dios. Empápate de lo que Dios dice de ti y del mundo, para que puedas ver las cosas a través de Sus ojos. En segundo lugar, ten una imagen realista de ti mismo —tus dones, debilidades y fortalezas— y deja que otros te ayuden participando en el cuerpo de Cristo y dejándoles que te digan qué cosas ven en ti. En tercer lugar, mira la situación en la que está el mundo, ya sea en tu entorno más inmediato o en algún lugar lejano, y ten carga por el mundo.[19]

Tal como dice Piper, el sentido común es una parte importante en el discernimiento de nuestro llamado misionero. Entender quiénes somos y los dones que Dios nos ha dado tiene un impacto profundo en el papel que desempeñamos en la misión. Pero aún hay más. Me encanta cómo Piper conecta el consejo práctico con el espiritual: "mezclar esas tres acciones con la cuchara de la oración puede darnos un claro sentido de dirección".[20] Hay un aspecto espiritual, algo sobrenatural que se escapa a nuestro control. Es la obra del Espíritu Santo. De nuevo, nuestra labor misional no la hacemos con nuestros recursos ni es nuestra, es de Dios. Y como es suya, Dios nos guía por Su Espíritu.

El Espíritu de forma sobrenatural convence al mundo de pecado y nos da fuerzas, valentía y consuelo para hacer la misión.[21] El Espíritu también nos acompaña a lo largo del camino (Romanos 8:14; Gálatas 5:18, 25). En ese sentido, el teólogo Wayne Grudem define la obra del Espíritu Santo del siguiente modo: "manifestar la presencia activa de Dios en el mundo, y especialmente en la iglesia".[22]

Jesús enfatiza el rol del Espíritu como Aquel que guiaría a los discípulos cuando Él se marchara: "Pero el Consolador, el Espíritu Santo, a quien el

Padre enviará en mi nombre, os enseñará todas las cosas y os hará recordar todo lo que os he dicho". Y: "Pero, cuando venga el Espíritu de la verdad, él os guiará a toda la verdad" (Juan 14:26, 16:3a). Jesús enseñó que el Espíritu daría testimonio de Él y que, en Su ausencia, el Espíritu tomaría el rol de liderar.

En resumen, el Espíritu Santo nos dirige en la misión. Dios, por Su Espíritu que vive en nosotros, es nuestra autoridad a través de Cristo. Pablo nos exhorta a andar por el Espíritu, que significa seguirle paso a paso (Gálatas 5:25). Por tanto, nuestra guía para involucrarnos en la misión viene del Espíritu. Aunque las estrategias pueden ser herramientas útiles, para discernir nuestro llamado misionero no deberíamos recurrir exclusivamente y de forma automática a meras estadísticas. Nuestra respuesta a las preguntas sobre "dónde ir" y "a quiénes ir" no debería ser simplemente la idea o el programa misionero más novedoso, sino el resultado de una escucha atenta y profunda de la guía del Espíritu.

Caleb Crider, cofundador de The Upstream Collective, nos recuerda con frecuencia la siguiente realidad: "Nuestra necesidad de depender de la guía del Espíritu Santo en la misión es a menudo una idea adicional. Nuestra tendencia es consultarle una vez y pedirle que bendiga nuestra estrategia, en lugar de dejarle guiarnos en cada paso a lo largo del camino. Nuestra misión depende de la guía del Espíritu Santo en cada etapa del camino".[23]

Martyn Lloyd-Jones, el difunto teólogo y pastor de la Westminster Chapel de Londres, dijo lo siguiente sobre la guía del Espíritu: "Nos encontramos de nuevo ante un tema extraordinario, increíblemente fascinante y, desde numerosos ángulos, el más glorioso. No cabe duda de que el pueblo de Dios puede buscar y esperar 'dirección', 'guía', 'indicaciones sobre qué debe hacer'".[24] Es curioso que, como iglesias locales y agencias misioneras, nuestra tendencia sea casarnos con una estrategia, a veces de forma ciega, sin una escucha constante y un oído atento a la voz de nuestro Señor. Por tanto, tenemos que preguntarnos: "¿Qué ocurre cuando Dios quiere que hagamos algo o que vayamos a algún lugar que se sale de nuestra estrategia antropológica o filosófica (como hizo con Pedro en Hechos 10)?".

Un patrón en las Escrituras

En Hechos 8, el Espíritu envió a Felipe de una ciudad a una zona desértica. El Espíritu simplemente le dijo que empezara a caminar hacia el sur. Felipe obedeció. Por el camino se encontró el carruaje de un funcionario etíope que iba leyendo el libro de Isaías. El Espíritu le dijo a Felipe que se acercara al etíope y, de nuevo, él obedeció. Con cada paso de obediencia, Felipe tuvo la oportunidad de escuchar y actuar según la guía del Espíritu.

Curiosamente, el Espíritu también estaba obrando en la vida del funcionario etíope. Aquel gentil iba de regreso a casa después de adorar en Jerusalén, e iba leyendo el libro de Isaías — algo extraño de por sí. Dirigido por el Espíritu, Felipe le preguntó si entendía lo que leía, y eso le abrió las puertas a explicarle al etíope las buenas nuevas de Jesús. La obediencia de Felipe a la extraña guía del Espíritu le dio la oportunidad de hablar del evangelio con el etíope, quien creyó y se bautizó. De nuevo, eso quedaba fuera de la estrategia normal de la iglesia primitiva en aquel momento, que era predicar solo a los judíos.

Otra historia registrada en el libro de Hechos, que comúnmente se ha llamado "el llamado a Macedonia", ocurre durante el segundo viaje misionero de Pablo. En su primer viaje, Pablo se guió por un acercamiento muy pragmático. Entraba en una ciudad, predicaba en las sinagogas, hacía un buen seguimiento de los resultados y continuaba su camino hacia la siguiente ciudad (Hechos 13-14). Aparentemente, empezó su segundo viaje de la misma forma (Hechos 16:4), pero el Espíritu frustró sus intentos una y otra vez.

A Pablo y a sus compañeros, "el Espíritu Santo les había impedido que predicaran la palabra en la provincia de Asia" (Hechos 16:6) aunque aquella región estaba llena de personas no alcanzadas que nunca habían oído el evangelio. Luego, cuando el equipo de Pablo intentó ir a Bitinia, "el Espíritu de Jesús no se lo permitió" (Hechos 16:7). Por último, el Espíritu guió a Pablo por medio de un sueño en el que un hombre le llamaba para que fuera a ayudar a la gente de Macedonia. Pablo cambió sus planes inmediatamente y obedeció la guía del Espíritu.

Pablo escribió a los romanos (Romanos 15:20) que la estrategia que él practicaba era predicar donde nadie más lo había hecho: donde el nombre de Cristo no era conocido. Sin embargo, de forma obediente se desviaba de su pragmatismo si el Espíritu así se lo indicaba. Si el Espíritu nos prohibiese hacer algo tan esencial para nuestra misión como predicar la Palabra a un grupo dado, ¿lo haríamos? Si nos impidiese cubrir alguna necesidad apremiante, ¿reconoceríamos que se trata de Él? ¿Estamos dispuestos a aceptar un "no" como respuesta del Señor? Me encantaría decir que para mí es algo sencillo, pero la verdad es que no lo es. Con demasiada frecuencia, me cuesta mucho aceptar un "no" o un "redireccionamiento". Necesito estar sintonizado con lo que el Espíritu me va diciendo, y eso requiere una comunicación constante con mi Salvador.

En cuanto a seguir al Espíritu, las Escrituras recogen un patrón muy sencillo de escuchar y obedecer. Historia tras historia, vemos cómo un personaje bíblico recibe dirección, un llamado o es movido por el Espíritu. A continuación, el oyente fiel responde en obediencia. Este patrón es crucial para la iglesia que busca determinar el quién, el qué, el cuándo y el dónde de la misión.

De nuevo, Newbigin arroja mucha luz cuando habla de las causas principales de los grandes avances históricos de la Iglesia en la misión. Escribió: "No fue gracias a ninguna estrategia misionera ideada por la iglesia. Fue gracias a la acción libre y soberana de Dios, que va delante de Su pueblo. Y, como a Pedro, a la iglesia se le da bien encontrar buenas razones para no seguir a Dios. Pero si quiere ser fiel, debe seguirle. Porque la misión no es nuestra, sino de Dios".[25]

Mi historia

En 1988, mi mujer Susan y yo asistimos a una conferencia misionera en Chattanooga, Tennessee. Susan tocaba el violín en la orquesta. Yo había escogido un asiento en la última fila. Honestamente, solo había ido para oírla tocar el violín. Nunca había pensado en las misiones como mi vocación. Sin embargo, al final de la sesión, el conferenciante nos invitó a levantarnos y acercarnos al frente si queríamos responder al llamado a las misiones. Tanto ella como yo nos levantamos y, para sorpresa de ambos, coincidimos ante el escenario. Así empezó nuestra trayectoria misionera, que primero se desarrolló en diferentes lugares de los EE. UU., donde plantamos ocho iglesias.

Después de trabajar plantando iglesias en los EE. UU. durante diez años, sentimos que Dios nos estaba guiando a poner nuestra mirada más allá de nuestras fronteras. Yo lo tenía un poco más claro que mi mujer. Poco antes ella había estado en un viaje misionero de corto plazo en Chile con nuestra iglesia. Mientras ella estaba en Chile, sentí que el Señor quería que estuviéramos abiertos a la idea de ir a otro país. Ella, sin embargo, creía que Dios nos guiaba a continuar en las misiones, pero en los EE. UU.

Fuera como fuera, sabíamos que se avecinaban cambios. Debíamos abrir nuestro corazón y nuestra mente a nuevas posibilidades. Yo debía estar abierto a otros lugares dentro de los EE. UU., y Susan admitió que necesitaba "orar para ser capaz de orar sobre" ir al extranjero. De ese modo, seguimos leyendo la Biblia y orando juntos, y también lo compartimos con algunos amigos muy cercanos.

En aquel entonces, nuestro hijo estaba en preescolar. Decidimos poner un enorme mapamundi en la pared de su habitación. Lo único que le dijimos fue lo emocionante que era tener un mapa del mundo en la pared. Su habitación se convirtió en el lugar al que íbamos a orar, aprender geografía y a preguntarnos juntos a dónde nos enviaría el Señor.

Recuerdo que cuando empezamos a hablarle a la gente de nuestro llamado, nos llegaron opiniones muy variadas sobre a dónde debíamos servir. Una persona nos dijo que no hacía falta ir a Sudamérica porque allí el evangelio ya había echado raíces y ya no hacía falta enviar misioneros. Otra nos dijo que Europa tampoco era una opción válida. Iba a ser demasiado fácil porque allí ya habían tenido el evangelio.

Mientras digeríamos lo que la gente nos decía, nos surgió la siguiente pregunta: ¿Y si Dios nos pedía hacer algo que no tenía sentido? ¿Y si nos pedía que fuéramos a un lugar que no nos hubiéramos esperado a hacer algo contrario a toda lógica? Tanta estrategia nos abrumaba y no queríamos que nos impidiera escuchar la voz de Dios.

El pragmatismo produce modelos

Mucha gente lucha con esas mismas preguntas debido a un deseo básico e innato de ser pragmáticos. Por defecto, solemos valorar lo que funciona. Si un modelo funciona debe ser porque Dios lo está bendiciendo, y entonces es "la forma correcta" de hacerlo. Un rápido vistazo a las librerías cristianas refleja esa tendencia pragmática en nosotros. El exitoso pastor/misionero/emprendedor cristiano/pastor de jóvenes/plantador de iglesias escribe un libro explicando paso a paso cómo tener éxito en su área, y de forma inmediata se convierte en un *best seller* porque todo el mundo que espera tener éxito en esa área compra el libro e implementa los pasos. Ha nacido un modelo de iglesia.

Los modelos son algo común a la hora de involucrarnos en la misión. Algunos estrategas creen que solo deberíamos ir donde hay una cosecha evidente. Otros dicen que el factor determinante es la rapidez en los resultados. De hecho, vemos que en algunos casos combinan ambas ideas.

Voy a poner un ejemplo. Hace unos años hablé con una iglesia sobre la posibilidad de que nos apoyaran en la labor que estábamos haciendo en Europa del Este. La iglesia decidió enviar a un equipo para realizar algunas iniciativas misioneras creativas. Sin embargo, pocos meses antes de que vinieran, recibí una llamada para comunicarme que por el momento iban a suspender el viaje. El pastor me contó que para ese año habían adoptado el siguiente plan: querían ver a una persona convertida por cada miembro de iglesia. Eran unos 1500 miembros, así que el objetivo que se habían puesto era ambicioso.

El pastor me explicó que necesitaban evaluar sus ministerios y poner sus esfuerzos en aquellas iniciativas que tenían el potencial de producir una cosecha abundante. Como en Europa del Este no estaba habiendo muchos resultados, necesitaban reorientar sus esfuerzos misioneros a lugares donde pudiera haber más fruto. Aunque originalmente creían que el Señor les había llevado a colaborar con la misión en Europa del Este, el pragmatismo prevaleció y fue lo que acabó determinando hacia dónde dirigirían sus esfuerzos misioneros.

Cuando algo atrae a una multitud, ¿es siempre bueno? ¿Qué ocurre si Dios nos guía a hacer algo que no produce rápidamente resultados visibles, o simplemente no produce resultados? Estamos ante una clara tensión: "lo que funciona" versus "lo que estamos llamados a hacer". No tiene por qué coincidir. Quizá algo le haya funcionado a una persona porque fue lo que Dios le llevó a hacer. El hecho de que a él le funcionó no significa que esa tenga que ser la estrategia a seguir por todos los demás. En los comienzos, tenemos que olvidarnos de las estrategias. Nuestra única guía para la misión es el Espíritu Santo.

De vuelta a nuestra historia

Las estrategias misioneras convencionales apuntaban a que mi mujer y yo debíamos ir a Asia o a África. Así, seríamos misioneros de verdad. Pero el Espíritu nos guiaba en otra dirección. Mientras orábamos, estudiábamos la Palabra y analizábamos detenidamente nuestros dones y experiencia ministerial, Dios nos mostró la dirección que quería que tomáramos.

La estrategia nos hubiera enviado a otro lugar, pero nosotros sentimos que

Dios nos dirigía a Europa, un contexto poscristiano que muchas iglesias y organizaciones descartan por considerarlo como "alcanzado". Después de todo, Europa fue el hogar de la Reforma y la Iglesia tuvo una profunda influencia en la cultura durante siglos. Por ese motivo, muchos dicen que Europa no necesita misioneros. Sin embargo, nosotros sentidos que el Señor nos pedía trabajar por una renovación espiritual en Europa. No nos veíamos como los obreros que encenderíamos la llama del avivamiento y salvaríamos a Europa. Simplemente sentíamos que Dios nos llamaba a formar parte de lo que Él estaba haciendo allí. El Espíritu Santo nos guió paso a paso a lo largo de todo el proceso.

El nuestro fue un caso de "práctico según el Espíritu Santo" versus "práctico según la pragmática". Observa las vueltas que dimos a lo largo del camino:

- ☐ Oramos

- ☐ Investigamos sobre países y ciudades europeas

- ☐ Empezamos a construir relaciones con personas que vivían allí

- ☐ Hicimos un viaje a Europa

- ☐ Seguimos orando

- ☐ Estudiamos la Palabra y le pedimos a Dios sabiduría y guía

- ☐ Pedimos a un grupo reducido de gente de nuestra iglesia local que oraran con nosotros

- ☐ Incluimos a nuestros pastores en las conversaciones desde el principio y a lo largo de todo el proceso

- ☐ Seguimos orando

- ☐ Analizamos varias agencias misioneras

- ☐ Analizamos nuestros dones

- ☐ Tuvimos en cuenta a nuestros hijos (y sus edades)

- ☐ Investigamos sobre otros ministerios cristianos en ciudades europeas

- ☐ Continuamos orando

Después de meses de oración, estudio de la Palabra y escucha atenta, nos quedó claro dónde nos quería Dios durante la siguiente etapa. Nos guió a Europa, y nos continúa guiando por Su Espíritu ahora que le estamos sirviendo allí.

La Iglesia es guiada por el Espíritu

Nuestro camino hacia las misiones es un ejemplo de la guía del Espíritu y es aplicable a iglesias, no solo a individuos. A menudo las iglesias se deslumbran con los planes estratégicos de moda, los datos estadísticos o los programas atractivos. Ninguno de ellos es inherentemente malo, pero nunca deberían usurpar el lugar del Espíritu Santo.

Hechos 13 contiene un ejemplo excelente de cómo el Espíritu dirigió a la iglesia a la misión. Como era común en aquel entonces, la iglesia de Antioquía estaba reunida para orar, ayunar y adorar al Señor. Tenían una comunión estrecha con Dios, quien les habló a través del Espíritu Santo: "Apartadme ahora a Bernabé y a Saulo para el trabajo al que los he llamado" (Hechos 13:2).

El Espíritu habló y dio a la iglesia unas directrices muy específicas, y la iglesia las obedeció. Fue un momento muy significativo porque hasta ese entonces, el llamado había sido algo más personal. Piensa en Abram, Moisés, Josué, Isaías, los discípulos, etcétera. Cada uno de esos hombres recibió un llamado concreto de parte de Dios, normalmente un llamado a hacer una tarea específica. Pero en Hechos 13, el llamado se da en el contexto de la comunidad. El Espíritu, que vivía en los creyentes, los unió los unos a los otros; y en comunidad, el Espíritu mostró a la iglesia la forma específica en que debían llevar a cabo la misión.

¿Cómo dejarse guiar? Características de una iglesia guiada por el Espíritu

Como parte de mi trabajo con The Upstream Collective, paso mucho tiempo con pastores estadounidenses y con sus iglesias. Entre aquellos que adoptan un acercamiento a la misión basado en la guía del Espíritu, he observado tres características comunes. Independientemente del modelo, el estilo de alabanza, la antigüedad de la iglesia o del sector demográfico que representa, estas características están presentes en las iglesias guiadas por el Espíritu.

1.La iglesia tiene una estrecha relación con Dios. Puede parecer obvio, pero permea toda la cultura de la iglesia. De forma regular y continuada oran, ayunan, estudian, escuchan y aprenden juntos. Van juntos en la dirección que Dios les muestra. No caen en el mero pragmatismo. A menudo el resultado es una metodología que parece contraria a las prácticas misioneras comunes de las iglesias estadounidenses.

2.Todos los miembros entienden el llamado de la iglesia a las naciones. La misión define lo que la iglesia es; no es simplemente un programa que compite por llevarse parte del presupuesto y parte del tiempo en los cultos. La enseñanza de la iglesia siempre tiene en mente el propósito misionero de la iglesia para que la misión dé forma a la identidad de cada persona involucrada en la iglesia.

3.Los líderes tienen el compromiso y el deseo de que la iglesia se involucre en la misión, tanto a nivel local como global. Son modelo en cuanto a hacer la misión en su ciudad y en otros lugares del mundo, y desarrollan y plasman la visión en una estrategia viable para la iglesia. Así, la misión influye y da forma a todos los ministerios y programas de la iglesia.

En nuestra experiencia, las iglesias guiadas por el Espíritu tienen en común un momento decisivo en el que se dan cuenta de que Dios las está llamando a un lugar concreto o a un grupo concreto. Del mismo modo en que Felipe fue guiado paso a paso hasta la conversación con el etíope, las iglesias guiadas por el Espíritu se dejan guiar paso a paso. Los siguientes son algunos ejemplos de la guía del Espíritu Santo para la misión.

Bill Jessup, pastor de Stafford Baptist Church en Stafford, Virginia, hace unos años estaba mirando Discovery Channel y se topó con un programa sobre Islandia. Mientras veía el programa, sintió que el Señor le llamaba a llevar a su iglesia a involucrarse en la misión en Islandia, y de forma inmediata sintió carga por los islandeses. Empezó a compartir con su iglesia lo que el Señor le había mostrado e incluso inició conversaciones con una agencia misionera. Por fin, decidió que debía visitar Islandia, y así lo hizo. Durante su visita, sintió que el Señor confirmaba su llamado a la iglesia de Stafford. La iglesia decidió involucrarse y realizaron viajes de corto plazo para construir relaciones con las gentes de Reikiavik. Con el tiempo, esas visitas se convirtieron en estancias más largas y dos familias se han mudado allí de forma más permanente, una de ellas la familia de Bill.

Kyle Goen era el pastor ejecutivo de Lifepoint Church en Smyrna, Tennessee. Él y otras personas de la iglesia hicieron varios viajes de corto plazo a Bruselas, Bélgica. A medida que oraban y participaban en varios proyectos ministeriales en la ciudad, empezaron a sentir que Dios les llamaba a tener una presencia más encarnacional. Finalmente, el Señor usó aquellos viajes, junto con los tiempos de oración y de estudio con su familia de la fe, para hacer que Goen se mudara a Bruselas con su familia y liderara un equipo de Lifepoint Church para plantar iglesias.

Una iglesia de Florida sintió que el Señor les llamaba a trabajar entre la gente china, pero no en China. Cuando empezaron a hablar de ello y a orar por ello en la iglesia, se dieron cuenta de que algunas personas ya tenían contactos en un país de América Latina. Después de mucha oración, la iglesia determinó que Dios les estaba guiando a ese país para trabajar entre los inmigrantes chinos.

La iglesia Snow Hill Baptist Church, a las afueras de la ciudad de Oklahoma, quería empezar a involucrarse en la misión. Uno de los líderes de Upstream pasó un fin de semana con ellos para ayudarles a decidir qué pasos dar. Durante el fin de semana, un grupo de gente de la iglesia empezó a hablar sobre dónde podrían ir. En oración, llegaron a la misma conclusión. Sacaron sus ordenadores portátiles y pasaron un par de horas investigando y recabando información sobre el lugar al que se sentían llamados. Entonces, se juntaron de nuevo para orar, y sintieron que Dios les indicaba el lugar exacto al que debían ir.

Trabajé con una iglesia, donde había muchas familias de adopción, que recientemente había caído en la cuenta de que muchos de los niños adoptados eran de la misma región del mundo. Por medio de la oración, sintieron que Dios les llamaba a continuar la obra que Él ya había empezado —usando a su propia gente para bendecir aquella parte del mundo con el evangelio.

También he visto a iglesias que se detuvieron a observar su comunidad, vecindario o ciudad, y vieron que convivían con personas de un país de acceso restringido. Llegaron a la conclusión de que no podían planear un viaje misionero al extranjero y a la vez ignorar a aquellas gentes que Dios había traído a sus puertas. Concluyeron que Dios les llamaba a involucrarse con esas personas en los EE. UU., y luego ya enviarían equipos misioneros a su país.

Con frecuencia, las oportunidades empiezan a surgir una vez la iglesia centra su atención en el lugar a donde Dios les llama. Creo que el Espíritu guiará a esa iglesia a medida que esta lleve a cabo la Gran Comisión en su comunidad y en el extranjero. Pronto empezará a pensar y a actuar como un misionero.

Durante las semanas en las que he estado escribiendo este capítulo, he estado hablando con un joven plantador de iglesias que se está preparando para plantar una iglesia. No empezó dándome el nombre que tendría la iglesia o enseñándome la imagen corporativa de la iglesia. Tampoco me habló de cómo sería el lanzamiento público. No se detuvo en el modelo de iglesia o el estilo de alabanza que tendrían los domingos por la mañana. Lo que sí hizo fue explicarme cómo quiere que sea la iglesia. En resumidas cuentas, quiere una iglesia cuyos miembros hagan discípulos donde quiera que estén. Su deseo es que como iglesia reflejen las características de la iglesia de Hechos 13, formada por personas que oraron, ayunaron y supieron a dónde tenían que ir. Personas con el deseo de ser fieles al evangelio. De ir a la Palabra de Dios y obedecerle paso a paso. De ir a su comunidad, país y al mundo según Él guíe. Este es el camino a la misión.

MAPEO

[Capítulo 3]

Caleb Crider

Perderse puede ser una experiencia difícil y frustrante. Cada vez que nos encontramos en territorio desconocido, experimentamos estrés. De forma instintiva buscamos cualquier cosa que nos ayude a determinar dónde estamos. Las señalizaciones pueden servir, siempre que estés en un lugar donde puedes entenderlas. Preguntar a un lugareño podría parecer la mejor solución, pero a veces la perspectiva de alguien local solo sirve para complicar las cosas. Cuando se trata de encontrar el camino, no hay nada mejor que un buen mapa. Un mapa no solo puede decirnos dónde estamos, sino que puede ayudarnos a encontrar el lugar al que queremos ir y cuál es el mejor modo de llegar.

Después de dejar que el Espíritu Santo nos guíe para saber en qué grupo de personas invertir nuestros esfuerzos, una de las primeras cosas que tienes que hacer es examinar y documentar cómo es el terreno. La mejor forma de hacerlo es a través del mapeo: compilar información para hacer una representación gráfica de múltiples capas de la zona donde pretendes ser misionero.

El mapeo es una habilidad inestimable para cualquier ministerio. Alguien que quiere empezar un ministerio en un lugar desconocido puede beneficiarse enormemente tan solo paseando por las calles de ese lugar y anotando todo lo que observa. Las personas están muy influenciadas por los lugares en los que viven, y estudiar ese entorno puede enseñarnos mucho. Al analizar una ciudad, puedes llegar a entender mejor a sus gentes. Este es el primer paso de un acercamiento encarnacional: ponerte en la piel de aquellos a los que quieres ministrar.

Un mapa es el trabajo de campo a partir del cual podemos desarrollar estrategias. Es la recopilación de información necesaria para planear tu acercamiento al ministerio. Te ayuda a organizar tus observaciones iniciales y a coordinarte con otros para hacerte una idea de cómo piensa la gente de ese lugar, cómo vive y cómo interactúa. También sirve como presentación: es algo que ya haces en la comunidad antes de saber qué vas a hacer en la comunidad. Es una manera formidable de empezar conversaciones, familiarizarse con la cultura y orar de forma eficaz por la ciudad.

Para tener un mapa misionero, no hace falta empezar de cero. Puedes usar un mapa impreso o en línea. Puedes dibujarlo en un cuaderno, diseñarlo con Photoshop o trazarlo en Google Maps. El documento de trabajo obviamente irá cambiando a medida que el misionero conozca mejor el lugar. También irá modificándolo para señalar los lugares donde Dios está obrando y hay oportunidades de ministerio. Un mapa ofrece una visión panorámica de las realidades de la ciudad que es útil para formar a compañeros de ministerio y para colaborar con otros creyentes que trabajen en la misma ciudad. Para compartir la información que has recabado solo tendrás que pasar una copia del mapa que has elaborado.

Obviamente, el ministerio es mucho más que conocer qué hay en cada calle y carretera. Para empezar a entender cómo es realmente el ambiente, debemos observar varios aspectos. Idealmente, el mapa debería tener tres dimensiones o capas: **geográfica** (el plano de la ciudad), **social** (dónde vive la gente, dónde trabaja, dónde compra, cuál es su conducta y por qué) y **espiritual** (qué adora la gente, qué venera, qué teme).

Capa geográfica: mapeando el espacio

El primer paso a la hora de elaborar un mapa es marcar los lugares físicos que hay dentro y alrededor de la ciudad. En la década de 1960, el urbanista estadounidense Kevin A. Lynch llevó a cabo un amplio estudio[26] sobre la forma en la que los habitantes de una ciudad se orientan en ella e identificó lo que él llamó "los cinco elementos" de la ciudad. Se refería a los elementos básicos que forman la comprensión que una persona tiene del medio urbano, y a los misioneros y los plantadores de iglesias les han servido para entender las ciudades a las que han llegado.

1. Caminos

El primer elemento de una ciudad es lo que Lynch llamó "caminos".[27] En el mapeo, los caminos son las calles, las aceras, las sendas y cualquier otra vía por la que la gente viaja. En un mapa normalmente se marcan con líneas: líneas gruesas para vías principales y líneas finas o discontinuas para vías secundarias. Los caminos urbanos pueden incluir calles peatonales, callejones o pasajes, rutas de los autobuses urbanos o líneas de metro. Muchas ciudades modernas se construyeron sobre ríos o vías férreas, que también cuentan como caminos.

Los caminos son importantes porque limitan nuestra experiencia de la ciudad y dan forma a la perspectiva que tenemos de ella. Si quieres relacionarte con alguien, sigue sus caminos. Por ejemplo, alguien que se mueve en metro quizá no conozca lo que hay en la superficie del trayecto que hace en metro. Consecuentemente, solo conoce las zonas de la ciudad que quedan a un lado y al otro de su recorrido, y esas son las zonas que dan forma a su comprensión de la ciudad y las que le influyen especialmente.

Este fenómeno se ve sobre todo en las zonas "turísticas" de las grandes ciudades de todo el mundo. A lo largo de las rutas del bus turístico, todo es más caro y parece mucho más atractivo. Si uno solo se mueve por esos caminos puede llegar a pensar que la ciudad es bastante cara o que todo el mundo habla inglés. Tomar una ruta alternativa nos proveerá de una perspectiva más acertada de las cosas.

También es importante tener en cuenta el modo de transporte a lo largo de un mismo camino. Recorrerlo en coche particular puede ser una experiencia muy diferente a hacerlo en bicicleta. El modo de transporte afectará la percepción que uno tiene de las distancias. Un autobús que se detiene cada dos manzanas puede provocar que esa calle parezca más larga de lo que realmente es. Para los habitantes de una gran ciudad, la distancia es un concepto relativo.

Explorar los diferentes caminos puede ayudarte a familiarizarte con una ciudad. Aunque ministres en una ciudad que conoces muy bien —la ciudad en la que creciste— moverte por caminos que no te son tan familiares te ayudará a entender las experiencias y perspectivas de tus vecinos. El mapeo, pues, empieza con este tipo de exploración.

2. Nodos

Los nodos son los centros de actividad, tales como las plazas, estaciones de metro, parques, centros empresariales o centros comerciales. Estos lugares, según Lynch, son "puntos estratégicos de la ciudad a los que el observador puede entrar" y que le permiten interactuar.[28] Los nodos se encuentran en las intersecciones, es decir, cualquier lugar en el que convergen distintos caminos.

Cuando los caminos se cruzan, se entremezclan personas de diferentes tipos. A cualquier hora del día, en un andén de metro o en una calle céntrica podemos encontrar tanto gente rica como gente pobre, algo que es más difícil que se dé en otros puntos del camino. Los nodos son importantes para obtener una perspectiva cultural porque nos ofrecen la oportunidad de ver cómo interactúa la gente (o cómo evita la interacción). Los nodos son los lugares más estratégicos para observar a la gente.

En los nodos normalmente encontramos vallas publicitarias, señalizaciones y puestos de periódicos y revistas. Puesto que los nodos suelen ser lugares muy transitados, son el espacio ideal para la difusión de información. Para ganar mayor visibilidad, las organizaciones acuden a los nodos para distribuir publicidad y los comerciantes para anunciarse. El cotilleo, las noticias y las últimas novedades tienen lugar en los nodos y en torno a los nodos. No cabe duda que las redes sociales han tenido un gran impacto en la difusión de información porque se han convertido en un sistema más de nodos: nodos virtuales.

Cuando la gente entra en un nodo, su conducta puede cambiar. Ya no viaja por el camino donde existen unos patrones predecibles en cuanto al flujo de tráfico y las normas conductuales. Ahora el observador se ve arrojado a un cruce caótico de multitud de caminos y rodeado por las personas que los transitan. En consecuencia, en los nodos la gente normalmente está en guardia y mantiene a la vista todas sus pertenencias. Los nodos pueden ser el lugar ideal para difundir información, pero el bullicio que los caracteriza también significa que no son el mejor sitio para conectar con alguien a un nivel profundo.

La neoyorquina Grand Central Terminal es la estación de tren más grande del mundo[29] y quizá el nodo más conocido a nivel mundial. Es la sexta atracción turística más visitada del mundo: cada año, 21 millones de personas visitan esta inmensa estructura neoclásica.[30] Desde las 5:30 de la mañana hasta las 2:00 de la madrugada, los 44 andenes de la estación se llenan de miles de personas esperando un tren de cercanías, de larga distancia o el metro.

No puede haber más diversidad. A Grand Central acuden neoyorquinos de todo tipo de situaciones y trasfondos. Millonarios y personas sin hogar. Sacerdotes católicos, rabinos judíos e imanes musulmanes esperan en el mismo andén el tren que les llevará a su casa de oración. El suelo de mármol de la terminal ve pasar a personas de toda tribu, lengua y nación. Cada día, miles de personas comparten el mismo espacio con personas con las que de otro modo no tendrían nada que ver. Este nodo es más que una intersección de la ciudad: es el lugar donde los pueblos del mundo se cruzan.

Grand Central es estratégica para los grandes medios. La mirada de miles de ojos que pasan por la estación cada día vale mucho dinero. Por eso, hay publicidad por todas partes. Los vestíbulos están llenos de carteles. Las columnas sirven para sostener pancartas. La terminal está llena de monitores que pasan anuncios producidos especialmente para un público en constante movimiento. En el vestíbulo principal hay una Apple Store. Siempre hay grupos religiosos distribuyendo folletos y locales comerciales repartiendo *flyers*. Si tienes algo que comunicar, Grand Central es el nodo donde darlo a conocer.

La gente que pasa por la terminal se mueve de forma un tanto distinta a como lo haría en otro entorno. Por si la invasión del espacio personal y el bombardeo de información fuera poco, los viajeros también deben tener cuidado con los carteristas mientras avanzan por el laberinto de trenes y túneles. Agarran algo más fuerte sus pertenencias, caminan un poco más rápido y miran hacia el suelo. Muchos llevan auriculares, leen el periódico o van mirando sus teléfonos móviles para evadirse de todo el ruido.

No todos los nodos son tan grandes o evidentes como Gran Central. Pero los efectos siguen siendo los mismos: la confluencia de personas muy diversas, la oportunidad de distribuir información a un público muy amplio y la actitud cauta y recelosa de todos los que entran.

3. Distritos

Los distritos son zonas de la ciudad con "un parecido interno aparente".[31] Puede tratarse de un barrio o un grupo de barrios que tienen un carácter distintivo. Los distritos pueden caracterizarse por la función que ejercieron en el pasado o que ejercen en el presente (el distrito de la moda, el distrito del mercado), por sus habitantes (Chinatown, Little Italy), por su reputación histórica o estigma social (Skid Row en Los Ángeles, Hell's Kitchen en Manhattan, la Zona Roja), arquitectura (histórica, polígono industrial, urbanización) o ubicación geográfica (el centro de la ciudad, la parte alta de la ciudad, el muelle, el paseo marítimo, etc.).

La mayoría de habitantes urbanos desarrollan un sentido de identidad relacionado con los distritos donde viven, hacen deporte o trabajan. Cada distrito tiene una reputación y existe la expectativa de que en cada uno encontrarás cierto "tipo" de personas.

Los distritos tienen un papel clave en el desarrollo de la personalidad de la ciudad y son factores determinantes de la segmentación social. El distrito en el que uno vive da forma a su comprensión de sí mismo en relación a los demás miembros de la sociedad. Esto se ve de forma clara en los llamados "barrios obreros" o "barrios de clase trabajadora"; normalmente, las fuerzas socioeconómicas hacen muy difícil que alguien de esos barrios se pueda mudar a otro lugar.

Los barrios son tanto agrupaciones sociales como agrupaciones geográficas. Por eso los distritos pueden ser bastante complejos. Observa, por ejemplo, Bel Air, el barrio de los ricos y famosos en el oeste de Los Ángeles. Un paisaje perfectamente cuidado de enormes propiedades vigiladas que albergan mansiones, piscinas, garajes y casas de invitados. Incluso un extraño se daría cuenta de que se trata de una zona rica.

Sin embargo, una observación superficial no arroja mucha luz sobre cómo es la población de Bel Air. Durante el día, el lugar está atestado de gente de fuera. Turistas que hacen fotos desde el bus turístico. Jardineros, cuidadores de piscinas y personal de mantenimiento —todos ellos de minorías étnicas— que no se pueden permitir vivir en el barrio. Los parques locales se llenan de niñeras —normalmente inmigrantes— que cuidan de los niños que viven allí. Los residentes de Bel Air no regresan a sus casas hasta bien entrada la tarde, e incluso entonces tienden a resguardarse en la privacidad de sus caras viviendas.

Cada segmento de población tiene su propia subcultura, idioma y normas que suponen barreras o puentes para la extensión del evangelio. Cuando hablamos de hacer misión en la ciudad, la segmentación urbana puede verse como equivalente al concepto antropológico de "grupo étnico" o "pueblo", tal como dice el misionólogo Ralph Winter.[32]

4. Bordes

Los bordes son los límites de un distrito. Según Lynch,[33] los elementos lineales que el observador no usa y ni siquiera considera como caminos marcan dónde acaba un distrito y probablemente dónde empieza el siguiente. Los bordes son las fronteras que dividen un lugar de otro, barreras lineales en la continuidad del espacio. Los bordes más comunes son, por ejemplo, las orillas, los bordes de una urbanización, los muros, las autopistas, los ríos, etcétera.

Cuando una ciudad crece, a veces ocurre que la construcción de una nueva carretera o una zona comercial divide un barrio, dividiendo un distrito en dos. En un distrito donde hay mucho tráfico peatonal, cualquier obstáculo que dificulte el camino se convierte en un borde.

Salir de un distrito y entrar en otro puede ser tan fácil como cruzar una calle. Otras veces, para llegar a otro distrito hay que pasar por un túnel, una verja o un cruce. Algunos "bordes" pueden ser menos evidentes: se nos hace difícil señalar con exactitud dónde acaba un distrito y dónde empieza el siguiente, pero sabemos cuándo hemos pasado de uno a otro.

En los EE. UU., en el pasado muchas ciudades se construyeron junto a las vías del tren. Las vías hacían de borde, y aún a día de hoy siguen teniendo implicaciones sociales. A menudo, a algunos grupos minoritarios se les relegaba a vivir fuera de la ciudad. De ahí viene la expresión inglesa "from the other side of the tracks" (del otro lado de las vías), que significa "indeseable". Cuando las ciudades crecieron, esas secciones pasaron a estar en el centro de la ciudad y con frecuencia se ven como "barrios bajos" o "guetos". Este tipo de bordes nos habla de que la proximidad no significa necesariamente similitud. En una misma ciudad, tres personas pueden vivir muy cerca, pero aun así tener una experiencia totalmente distinta de la ciudad.

Piensa, por ejemplo, en un hombre de negocios de clase media. Tiene una bonita familia y vive en una bonita casa en un barrio tranquilo justo al lado del centro de la ciudad. Cada día antes del trabajo, el hombre saca el perro a pasear por calles por las que apetece pasear. Después de desayunar con su mujer y sus hijos, se sube a su lujoso sedán y conduce al trabajo, aparca en el parking privado de la empresa y sube en ascensor hasta su oficina, que está en el piso 18, desde donde tiene unas vistas privilegiadas de la ciudad que ama.

A continuación, imagina a una tendera de tercera generación. Vive en un apartamento que está lejos de la librería que su abuelo abrió hace años. Sus días son muy largos, pues empiezan a las 6 de la mañana, cuando salta de la cama y se apresura para tomar el tren al trabajo. Durante treinta y siete minutos viaja por un túnel subterráneo, ajena a lo que ocurre en la superficie. Cuando llega a su parada, pasa por un barrio peligroso que un día fue el centro de comercio de la ciudad. Compra un café en el carrito de comida que hay en la esquina y llega justo a tiempo para abrir la puerta y girar el cartel de "cerrado" a "abierto". Durante todo el día, la tendera mira la ciudad que ama desde la ventana de su librería.

Ahora, imagina la rutina diaria de un inmigrante. Relativamente nuevo en la ciudad, aún no ha encontrado un trabajo o un lugar para vivir. Duerme en el sofá en casa de su primo, así que se levanta temprano cada mañana y ayuda con las tareas de la casa. Cada día va a las oficinas de inmigración porque está intentando solicitar el permiso para quedarse en el país. Al salir, va de un sitio a otro en busca de trabajo. Aunque no hay mucho trabajo para aquellos que no tienen permiso de residencia ni una dirección permanente. No habla muy bien el idioma, así que cualquier interacción se hace complicada. Echa de menos a su mujer y a sus hijos, pero está aquí para darles una vida mejor. No son tiempos fáciles para él, pero está agradecido por estar en la ciudad que ve reflejada en las ventanas mientras deambula buscando un cartel de "Se busca personal".

Las tres personas descritas en los tres últimos párrafos son vecinas, es decir, viven cerca las unas de las otras. De hecho, puede que se crucen cada día. Pero los bordes que las separan hacen que cada una de ellas tenga una experiencia muy distinta de la ciudad. El hombre de negocios ama la ciudad, pero casi siempre la experimenta desde rutas seguras y lugares privilegiados. Los distritos en los que se mueve —donde vive y donde trabaja— están llenos de gente muy parecida a él. Por otro lado, la tendera se pone los auriculares y agarra fuerte el bolso porque en el metro, que siempre va abarrotado, está rodeada de gente muy diferente a ella. El inmigrante aún no sabe cómo "leer" ese lugar y no tiene claro si la gente está contenta de verle, molesta por su presencia, o simplemente les da igual. Hasta que pueda empezar a entender, la ciudad es un lugar hostil donde no hay sitio para él.

La visión que tienen de las distancias también está condicionada por los bordes que cada uno de ellos tiene que cruzar. El hombre de negocios vive mucho más lejos de su oficina que la tendera de su librería, pero el trayecto que ella hace en transporte público dura el doble de lo que él tarda por la autopista. Para el inmigrante, la ciudad es enorme, mucho más grande que las veinte manzanas que recorre a pie cada día para buscar trabajo. Tan solo conoce un distrito y aún no ha tenido que cruzar ningún borde.

El misionero debe prestar especial atención a los bordes. Con demasiada frecuencia solo tiene en cuenta los accesos físicos y la cercanía espacial, ignorando las fronteras sociales que se levantan por toda la ciudad.

Cruzar esas fronteras no es tarea de los residentes; es tarea del misionero. Obviamente, cuando las personas aceptan a Jesús y las discipulamos para que crezcan en madurez, deberíamos retarlas a cruzar los bordes, a dejar de forma deliberada un distrito para llevar el evangelio a otro. Pedir a la gente que cruce un borde para oír el evangelio puede levantar un obstáculo para invitarles a seguir a Jesús.

5. Puntos de referencia

La expresión "punto de referencia" nos hace pensar en torres y monumentos, pero cuando se hace un mapeo, cualquier cosa que destaque como algo bien visible puede servir de punto de referencia. Lynch señaló que la gente usa esos objetos, estructuras y lugares para orientarse en la ciudad.[34] Cuando dan indicaciones a los turistas, los residentes mencionan puntos de referencia que sean fáciles de reconocer: "Cuando llegues a la farmacia, gira a la derecha". Al hablar con gente cercana, probablemente usen puntos de referencia con los que están familiarizados, como "Cuando llegues a casa de Kevin, gira a la izquierda".

Barcelona se extiende al pie de una montaña frente al Mediterráneo. El centro de la segunda ciudad más poblada de España está compuesto a modo de cuadrícula, con calles rectilíneas y manzanas cuadradas. Pero la orientación de esas calles no es "norte-sur", sino "noreste-sudeste", así que los residentes hablan de zonas "altas" y zonas "bajas" de la ciudad. En el caso de Barcelona, la montaña y el mar son puntos de referencia que la gente usa para orientarse.

Los puntos de referencia pueden ser detalles arquitectónicos como unas farolas antiguas, una calle de adoquines, o una valla blanca; cualquier cosa que ayude a la persona a determinar dónde está. A veces, los puntos de referencia no son ubicaciones exactas, pero al residente le pueden servir para descifrar el tipo de sitio en el que está. En muchas ciudades, los barrios de inmigrantes son fácilmente reconocibles por las antenas parabólicas (para poder ver los canales de su país) y la ropa colgando de las cuerdas (las secadoras pueden ser muy caras).

Normalmente, los puntos de referencia impactan de forma duradera la historia y la cultura de un lugar. Una ciudad construida a orillas de un río estará condicionada en muchos sentidos por el río y todo lo que este significa. Portland, Oregón, se construyó junto a los ríos Willamette y Columbia. Como puerto fluvial a mediados del siglo XIX, recibía a muchos marineros de todo el mundo que tenían dinero para gastar. Consecuentemente, la primera industria de la ciudad se construyó en torno al alcohol y al sexo. Hasta hoy, Portland (o Pornland, como la llaman los vecinos de la ciudad) alberga más clubs de striptease per cápita que ninguna otra ciudad de los EE. UU. (7,4 por cada 100.000 habitantes).[35] La omnipresencia de estos locales ha favorecido la normalización del comercio sexual. Según un informe reciente,[36] también tiene el mayor índice de tráfico de personas y abuso sexual. A día de hoy, los ríos son un recordatorio no consciente de la historia de vicio y explotación de la ciudad.

En Riga, Letonia, el Monumento a la Libertad sirvió durante la ocupación soviética como símbolo de la independencia letona. El monumento a Chiang Kai-shek en Taipéi es un recordatorio constante de la expulsión del líder conservador chino y de su exilio en la isla de Taiwán. El Cristo Redentor, la estatua de hormigón de 40 metros de altura que se levanta sobre la ciudad de Río de Janeiro, se construyó gracias a donaciones privadas justo después de que Brasil se convirtiera en una república laica. Estos puntos de referencia tienen un impacto significativo y duradero sobre las personas que pasan por delante de ellos cada día. Los símbolos de rebelión, opresión, religión e independencia que adornan las ciudades quedan grabados en los corazones de sus habitantes.

Durante su ministerio en la tierra, Jesús usó puntos de referencia. En Juan 4 leemos que Jesús se encuentra con la mujer samaritana en el pozo de Jacob en Samaria. Allí acudían todo tipo de personas a lo largo del día, y además ese punto de referencia era una parte central del día a día de muchos samaritanos. Jesús usó un punto de referencia tal como un monte para pronunciar y destacar lo que sería su sermón más conocido. Lo mismo podríamos decir de algunas puertas de la ciudad, montañas, ríos, etcétera.

De hecho, Dios manda a Su pueblo construir lugares emblemáticos o puntos de referencia. En el libro de Josué, en ocho ocasiones los israelitas apilaron rocas en lugares donde habían experimentado la provisión, la protección y la victoria de Dios. Aquellos monumentos servirían para que las futuras generaciones recordaran la fidelidad de Dios. En muchas ocasiones, podríamos decir que los monumentos de una ciudad, aunque construidos sin tener en cuenta el papel de Dios, también se pueden redimir porque de algún modo apuntan al Altísimo. El misionero puede usar los puntos de referencia como puentes para comunicar el evangelio.

Lugares elevados

El Dr. Thom Wolf, que fue uno de los primeros misionólogos en aplicar los descubrimientos de Lynch a la misión en la ciudad, ha señalado[37] que cada capa del mapa informa a las demás. Por ejemplo, en la mayoría de culturas, las zonas más elevadas suelen tener un mayor nivel de importancia. Las estructuras "sagradas" se suelen construir en esos lugares y pueden llegar a tener una influencia significativa en la historia y la cultura de la ciudad. Por tanto, los lugares elevados pueden tener una clara relevancia espiritual para el trabajo del misionero.

Atenas, como la mayoría de ciudades romanas, era una acrópolis construida sobre una colina para que fuera visible y, a la vez, fácil de defender. Los edificios más importantes —templos, palacios, castillos y los edificios gubernamentales— se construyeron en los lugares más elevados. En Hechos 17 leemos que el apóstol Pablo subió al Areópago, una estructura con forma de anfiteatro construida sobre una colina, donde los filósofos y los ancianos de la ciudad se reunían para discutir los últimos acontecimientos, valorar las problemáticas sociales y tomar decisiones. Este "lugar elevado" era importante para el misionero, espiritualmente hablando, y le ofrecía la oportunidad de proclamar el evangelio de forma contextualizada.

En casi todas las ciudades del mundo, los lugares elevados tienen una clara importancia histórica, cultural, geográfica y espiritual. La propia existencia de esos lugares nos dice mucho de la gente que los construyó. Observando los lugares elevados verás de qué forma la gente de tu ciudad asigna valor y significado a los lugares. No tratan a toda la gente ni todos los lugares por igual. El poder, la importancia y la influencia se asignan, se ganan o se compran, y lo que los padres de la ciudad hayan hecho en los lugares elevados revelará qué influye a los habitantes de esa ciudad. Los lugares elevados deberían estar entre las primeras cosas a marcar en el mapa del misionero.

Capa social: mapeando la historia

Después de marcar la geografía de la ciudad, el misionero debería empezar a trabajar en la capa social del mapa. Esta capa o dimensión incluye quién vive dónde, a qué se dedican, cuáles son sus necesidades y cómo se ven a ellos mismos en relación al resto de la ciudad. El propósito de esta capa del mapa es ayudar al misionero a entender a la gente a la que ha sido enviado. Esta información solo se puede conseguir a través de la interacción personal.

Lógicamente, esta sección del mapa podrá contener información sensible como motivos de oración, necesidades o luchas personales. Para un amigo de tu barrio, sería extraño entrar en tu casa y ver su nombre escrito sobre un mapa en la pared. Por favor, intenta ser discreto.

Los datos demográficos —es decir, la información sobre la gente que vive en un lugar— son relativamente fáciles de conseguir. Para empezar, existen recursos con estadísticas y resultados demográficos en todos los formatos: libros, publicaciones periódicas y online. Sé cauteloso con los estudios demográficos. Algunos de estos estudios se realizan bajo presión social y política, y a veces los resultados pueden ser un poco sesgados. Por ejemplo, a un gobierno municipal quizá le interese encontrar un elevado número de personas que viven en pobreza en su ciudad porque eso significará una mayor financiación por parte del estado. También, estadísticas como el índice de criminalidad, los resultados educativos y los receptores de ayudas sociales pueden minimizarse o exagerarse en beneficio de una agenda política concreta.

Si el misionero recorre las calles observando de forma intencional, empezará a tener una idea de quién vive en ese lugar. Pero cuando hablamos de demografía, siempre hay mucho más de lo que se ve a simple vista. No todos los foráneos parecen forasteros. Algunos grupos de inmigrantes son más difíciles de encontrar porque se integran muy bien en las culturas que les acogen. Del mismo modo, no todos los que parecen extranjeros lo son. Para poder tener un mapa que se corresponda con la realidad es preciso interactuar con la gente.

Una estrategia para obtener ese tipo de datos es hacer encuestas. Con frecuencia, los misioneros envían voluntarios a los nodos de la ciudad para realizar encuestas anónimas. "¿Cuántas personas viven contigo?" puede indicarnos cómo es la población de un distrito residencial. Preguntas como "¿Por qué cosa se conoce esta zona?" o "¿Qué tipo de gente vive en este barrio?" pueden ser muy útiles porque proveen mucho más que tan solo datos fríos y objetivos. Este tipo de preguntas permite a los encuestados dar su propia percepción de la realidad que, a la hora de elaborar un mapa social, es información mucho más valiosa.

Otra forma de compilar la misma información es encontrar informadores culturales fiables. Estas personas, que generalmente no son conscientes de su rol en el mapeo, serán capaces de proporcionar al misionero una buena comprensión de un grupo concreto desde su propia perspectiva. Pregúntale a un informante cultural dónde encontrar a inmigrantes argelinos en la ciudad y es posible que no pueda identificar a ese grupo. Pero pregúntale dónde suelen pasar el tiempo los extranjeros y es probable que conozca varios lugares frecuentados por gente venida de fuera.

La necesidad puede ser más difícil de medir. No todo el mundo será abierto y honesto en cuanto a sus necesidades, especialmente con un extraño. Las necesidades comunes incluirían la seguridad física, la estabilidad económica o la compañía. Lo creas o no, muchas personas que viven en grandes ciudades sufren de una profunda sensación de soledad. Experimentar estas necesidades es una cosa, pero confesarlas es otra muy distinta. Pocas personas están dispuestas a confesar aquellas necesidades que podrían hacerles parecer débiles. Para que el mapa sea preciso en cuanto a las necesidades de la comunidad, el misionero debe investigar un poco.

Aunque las necesidades suelen ser individuales, anotarlas en un mapa es de gran valor. Lo que inicialmente puede parecer una necesidad aislada puede, de hecho, ser un problema de toda la comunidad. El mapeo ayudará a revelar las necesidades de la sociedad a nivel de vecindario y distrito. Esta perspectiva puede ser particularmente útil en el desarrollo de estrategias para el servicio a la comunidad.

La narrativa es la historia que una comunidad cree sobre sí misma. Esta historia (o conjunto de historias) es quizás la parte más útil del mapa del misionero.

A veces, la narrativa no es algo consciente. Por ejemplo, alguien que vive en un barrio de clase trabajadora puede usar descripciones despectivas al hablar de los ricos que viven en el barrio de al lado, pero no ser consciente de sus prejuicios hacia ellos. O alguien puede hablar de sí mismo con desprecio, lo cual es indicio de un estatus social bajo.

El mensaje de Cristo es para todas las personas en todas partes. El mapeo narrativo permite al misionero discernir exactamente de qué modo el evangelio es buenas noticias para un grupo concreto de personas. Las personas que se sienten víctimas se alegrarían al saber que Cristo trae justicia y libera a los oprimidos (Lucas 4:18). Las que están atrapadas en la trampa del materialismo necesitan saber que las cosas de este mundo algún día pasarán (1 Juan 2:17). Las que adoran a ídolos necesitan saber la inutilidad de aquello en lo que han puesto su confianza (Jeremías 10:1-5).

A través de conversaciones directas podemos empezar a conocer de verdad a nuestros vecinos. Y juntos, podemos construir un mapa de cómo ven el mundo que les rodea: su experiencia religiosa, sus metas en la vida y sus sueños para el futuro. En definitiva, así es como podemos averiguar la mejor forma de transmitir que Jesús es el único que puede ofrecer lo que la gente en todo lugar está buscando.

Al igual que ocurre con la necesidad, también podría parecer que la narrativa no tiene nada que ver con la geografía. Pero hacer un mapa narrativo puede llevarnos a fijarnos en historias que han influido enormemente en la gente que vive en un barrio concreto. Añadir a tu mapa esta dimensión puede ayudarte a ver cómo los sucesos locales pueden tener efectos duraderos en las personas que viven en un área en particular, sin importar si esas personas estaban presentes cuando ocurrieron esos sucesos.

Capa espiritual: mapeando la acción de Dios

La última capa del mapa del misionero, la capa espiritual, es la más importante para el trabajo del misionero. Mucho antes de que el misionero sea enviado, Dios ha estado obrando entre la gente de ese lugar. Él se revela a través de la naturaleza, la conciencia y la gracia. Él demuestra Su carácter a través de la presencia de Su pueblo en todo el mundo. Por medio de las Escrituras se da a conocer como un Dios personal. Y, aunque no se deja "servir por manos humanas, como si necesitara de algo", difunde Su evangelio a través de la humanidad.

En su libro de 1990, *Mi experiencia con Dios*, Henry Blackaby escribió: "Cuando Dios te revela dónde está obrando, eso se convierte en Su invitación a unirte a Él en Su obra".[38] Como misioneros, comenzamos a colaborar con Dios descubriendo dónde está trabajando. No se trata de voces del cielo o de revelaciones extrabíblicas; el misionero descubre dónde obra Dios interactuando en oración con la sociedad a la que está llamado.

Una vez el misionero tiene un mapa que muestra el plano físico de la ciudad y la narrativa social de sus habitantes, ya puede marcar ese grupo de gente, esas oportunidades, esos sucesos y lugares que le parecen espiritualmente significativos. Los espacios físicos pueden indicarnos posibles áreas abiertas a la espiritualidad. Los espacios sociales, los lugares elevados y las estructuras espirituales existentes están a menudo en primera línea. Las historias de una comunidad también pueden ser un indicador de dónde está obrando Dios. El conflicto, el fracaso, el éxito y el arte pueden ser señales de un movimiento espiritual. Pero en última instancia, interactuar con la gente en oración es la mejor manera de ser guiados por Dios a aquello que Él ya está haciendo.

CÓMO HACER EL MAPEO

Mapeo de capa geográfica

Empieza con la capa geográfica. Un buen comienzo es tener un callejero o un mapa impreso de Google. Algunas personas prefieren dibujar el mapa a mano ya que eso les permite incluir las distorsiones causadas por los modos de viaje, los bordes u otras características que pueden no estar claras en un mapa normal. Si prefieres tener el proyecto en formato electrónico, Google Maps es un buen punto de partida. Solo asegúrate de que la capa base muestre la totalidad de tu lugar de interés: una región, ciudad, barrio, distrito u otra sección de la ciudad.

Cualquiera que sea el formato, tiene que ser un mapa accesible. Debe ser posible añadir anotaciones al mapa a medida que vas realizando más observaciones. Por esta razón, puedes llevar contigo un bloc de notas, iPad, Smartphone o cualquier otro soporte donde recoger las notas que deseas incluir en el proyecto.

Quizás la forma más sencilla de marcar los elementos de la ciudad es dibujar directamente en el mapa utilizando rotuladores de diferentes colores. Otra idea es usar chinchetas y cuerdas de colores si no te importa hacer agujeros en la pared. También puedes utilizar hojas transparentes de quita y pon, y así no tapas otra información como los nombres de calles y vecindarios.

El mapa será más bueno cuanta más información relevante muestre, así que asegúrate de incluir cualquier lugar que pueda ser significativo para la sociedad, como centros de gobierno, educación y comercio. En los entornos urbanos, muchos lugares son de uso doble o múltiple, así que sé creativo para mostrar el aspecto cambiante de esos lugares. Además, algunas anotaciones del mapa, tales como mercados de agricultores locales, festivales u otras celebraciones, tienen lugar en fechas concretas. Superponer etiquetas puede ayudarte a mostrar esas realidades en el mapa.

Ten en cuenta que el propósito de esta capa es ayudarte a ver la ciudad a través de los ojos de los lugareños. Con este fin, puede ser una buena idea crear un código de colores para visualizar las conexiones. Por ejemplo, si los miembros de un determinado segmento poblacional se encuentran principalmente en tres distritos diferentes y suelen frecuentar ocho caminos diferentes, puedes mostrar esa conexión marcándolos con el mismo color.

Marca más de una manera de llegar a un punto dado y asegúrate de que el mapa tenga una leyenda clara. Esto será muy útil si tienes que compartir la información recopilada y para identificar los diversos elementos de un vistazo. Kevin Lynch propuso el uso de estos símbolos:

CAMINOS NODOS DISTRITOS BORDES PUNTOS DE REFERENCIA

Mapeo de la capa social

La siguiente capa del mapa reflejará las observaciones **sociales** de la ciudad. Esta capa indicará quién vive dónde y la información básica sobre ellos. En esencia, esto mostrará estereotipos y generalizaciones sobre las personas que viven en cada sector del mapa. Marca estas cosas usando notas, etiquetas y tarjetas.

Una buena manera de añadir en un mapa la narrativa de un distrito es incluir recortes de periódicos y revistas locales. Por ejemplo, añadir un artículo sobre el crimen en un barrio determinado sería relevante. Imprimir estadísticas sobre las escuelas sería particularmente útil para obtener un cuadro de las condiciones educativas locales. Lo mismo se aplicaría a la información sobre negocios y a los perfiles de los residentes.

La capa social también sería el lugar donde añadir la información sobre los nuevos amigos y contactos. El nombre de un agente inmobiliario atento o el departamento de un funcionario municipal considerado puede ayudar al misionero a entender el paisaje social de la ciudad. Este es el lugar para recopilar direcciones, números de teléfono y cualquier otra información que pueda ser útil para establecer conexiones. Incluir fotos de personas y lugares nuevos es una buena manera de recordar nombres.

Debes ver la capa narrativa del mapa como un perfil compuesto de diferentes elementos. Las historias personales, las diferentes necesidades y los artículos de noticias se unen como piezas de un rompecabezas para formar un *collage* de la historia de una comunidad. Aunque no todas las observaciones sean aplicables a toda la ciudad o a todo el segmento poblacional, su presencia afecta a la historia del conjunto.

Mapeo de la capa espiritual

La tercera capa del mapa muestra las realidades espirituales de la ciudad. Esta sección incluirá iglesias, templos, ídolos, evidencias de lo oculto, o cualquier otro lugar que consideres relevante.

Piensa en la capa espiritual como una guía de oración. Usando la información espiritual contenida en esta capa del mapa, los voluntarios podrán interceder con conocimiento de causa. Incluso puede ayudar a las personas que ni siquiera han visitado una ciudad a orar por ella, porque podrán hacerse un esquema mental de sus necesidades y oportunidades.

Otro uso de esta capa espiritual es registrar dónde y con qué frecuencia tienen lugar las conversaciones espirituales. Por ejemplo, visitas semanalmente un mercado de agricultores locales y casi cada semana tienes conversaciones profundas acerca de Cristo. Si después de cada conversación la marcas de algún modo en el mapa, quedará claro que el mercado es un lugar espiritualmente relevante. Cuando llegue el momento de tomar decisiones sobre dónde enviar a los voluntarios, dónde colocar a los miembros del equipo o comenzar un estudio bíblico, el mapa revelará la importancia estratégica del mercado de agricultores.

Por último, asegúrate de que el mapa completo puede compartirse fácilmente con otras personas. Cuando Dios bendice tu equipo misionero con nuevos miembros, el mapa es una excelente manera de ponerles al día rápidamente con la información cultural que el equipo ha sido capaz de reunir. Deberías estar dispuesto a compartir el mapa con las iglesias que os han enviado y con otros colaboradores. Cuando alguien del lugar abraza la fe, sería interesante preguntarle sobre la información recopilada en el mapa para contrastar las observaciones de una persona de afuera con las de una persona del lugar.

EXÉGESIS DE LA CULTURA

[Capítulo 4]

Caleb Crider

Una de las historias más conocidas de la historia de la humanidad es la del Gran Diluvio. ¿Quién podría olvidarla? Juicio en forma de diluvio sobre una generación malvada. Misericordia para un hombre justo y su familia. Obediencia de ese hombre a pesar del ridículo y la incertidumbre. Aguas que cubren la faz de la tierra. Esperanza en medio de la destrucción total. Alegría al ver una paloma que carga una rama verde. Es una historia atemporal, una advertencia sobre el lugar de la humanidad en el universo. Esta es la historia, tal como la conocen millones de personas:

> El pez indicó a Manu para que construyera un gran barco, ya que el diluvio empezaría en unos pocos meses. Cuando empezaron las lluvias, Manu ató una cuerda de su barco al ghasha, el cual lo guió con firmeza conforme subieron las aguas. Las aguas llegaron a estar tan altas que toda la tierra quedó cubierta. Cuando las aguas bajaron, el ghasha guió a Manu hasta la cima de una montaña.[39]

¿Te resulta familiar? Esta historia sobre un diluvio forma parte del folklore hindú del subcontinente indio y precede al cristianismo. Un antropólogo dirá que las culturas de todo el mundo cuentan historias muy similares: mitos sobre la creación, historias sobre un diluvio y relatos sobre hermanos que se matan entre ellos. Cada cultura tiene elementos de la historia humana, fragmentos, perspectivas, versiones humanas de lo que realmente sucedió. No es un accidente; es la provisión de Dios para revelarse a aquellos que se han alejado de Él. Pablo menciona este patrón en su carta a la iglesia en Roma:

> Lo que se puede conocer acerca de Dios es evidente para ellos, pues él mismo se lo ha revelado. Porque desde la creación del mundo las cualidades invisibles de Dios, es decir, su eterno poder y su naturaleza divina, se perciben claramente a través de lo que él creó, de modo que nadie tiene excusa. A pesar de haber conocido a Dios, no lo glorificaron como a Dios ni le dieron gracias, sino que se extraviaron en sus inútiles razonamientos, y se les oscureció su insensato corazón. Aunque afirmaban ser sabios, se volvieron necios y cambiaron la gloria del Dios inmortal por imágenes que eran réplicas del hombre

mortal, de las aves, de los cuadrúpedos y de los reptiles.[40]

Pablo comienza el libro de Romanos con una perspectiva cósmica sobre la relación de la humanidad con Dios. La humanidad, si podemos hablar de ella como un todo, conocía a Dios; Adán y Eva caminaban con Él en el jardín y tenían comunión perfecta con su Creador. Pero entonces el pecado entró en el mundo y el ser humano dejó de adorar al Altísimo. Habiendo "cambiado la verdad de Dios por la mentira", la humanidad empezó a adorar y servir "a los seres creados antes que al Creador".

Así empieza la historia de todos los pueblos, de todas las culturas/rebeliones. El pecado es cegador y la mayoría de sociedades ha borrado de su memoria cuál es su verdadero origen. En cambio, las personas crean sus propias historias sobre los orígenes, reniegan del propósito con el que Dios les ha creado y, así, dan su propia versión sobre la existencia. Todas las culturas tienen explicaciones similares sobre los grandes temas de la historia humana: *En el pasado estábamos en paz con nuestro Creador, pero luego nos rebelamos. Desde entonces, hemos luchado para recuperar la comunión con Él.* Este replanteamiento de la realidad es universal. Puedes verlo en cualquier cultura cuando escuchas sus historias, estudias sus religiones e investigas su cosmovisión.

Pero Dios es fiel. Él no ha dejado a Su creación sin esperanza. Cuando "vino el cumplimiento del tiempo", Dios envió a Jesús.[41] Con la encarnación del Hijo, Dios interrumpió el sinfín de historias paganas locales para revelarse a toda la humanidad. Derribó las realidades falsas que la gente había construido, recordándoles que los creó para estar en comunión con Él.

Cultura

Como Autor de la historia y Creador de la humanidad, Dios valora la cultura. A lo largo de la historia de la humanidad, de principio a fin, Dios crea y preserva la diversidad humana. En Génesis 11, leemos que los habitantes de la tierra se volvieron orgullosos y se unieron para construir una torre como un monumento a su propia gloria. Dios intervino separando a las personas y confundiendo su lenguaje para que no pudieran comunicarse. Es decir, Dios combate la rebelión humana con la diversidad. Con ese episodio, Dios muestra que Él se glorifica a través de la creación y la existencia de las diferentes culturas.

En el libro de Apocalipsis, Juan ve una multitud formada por personas de "toda tribu, lengua y nación", reunida en adoración alrededor del trono de Dios.[42] Para Juan, lo sorprendente de esta visión es que, aunque la gran multitud está unida en adoración, el grupo sigue siendo lo suficientemente diverso como para que él note las diferencias que hay entre ellos. Estamos ante una imagen no solo de diversidad étnica, sino también de diversidad social. En esta visión, Dios revela que desea ser adorado por diferentes tipos de personas. Él es lo suficientemente poderoso como para dividirnos y luego unirnos a Su gloria.

La diversidad humana también tiene un gran valor para la Iglesia. La experiencia que ganamos al conocer otras culturas nos permite ver cómo Dios es adorado por personas que son diferentes a nosotros. Los cristianos de todo el mundo cantan a Dios, pero nosotros cantamos canciones muy diferentes con melodías muy diferentes. El pueblo de Dios en cada lugar tiene expresiones únicas de adoración: algunos bailan, otros caen rostro en tierra. Algunos oran en voz alta, otros meditan en silencio. La visión de Apocalipsis nos muestra que a Dios le complace esta diversidad creativa, y que promete Su presencia entre Su pueblo cuando este le adora. Y aunque el pueblo de Dios es aquel que ensalza Su nombre, los creyentes en las naciones de la tierra no son los únicos que se acuerdan de Él.

Si observas con atención cualquier cultura, queda claro que el recuerdo del Creador no ha caído completamente en el olvido. Continuamente, el ser humano está expuesto a la revelación de los atributos de Dios a través de la naturaleza.[43] Además, las tribus de todo el mundo —desde los grupos etno-lingüísticos como los criollos del Perú o los jhora de la India, hasta las sub-culturas urbanas como los hípsters de Brooklyn, o los inmigrantes chinos de tercera generación en San Francisco— aún tienen una leve idea de que Dios existe y que algo ha ido terriblemente mal.

Si buscas esta narrativa, te darás cuenta de que se encuentra entretejida en todos los aspectos de la cultura. Los músicos cantan sobre el poder del amor, aunque el único amor que hayan experimentado sea el amor humano. Los novelistas escriben historias sobre nuestra necesidad de redención. Las personas injustas, que no hacen más que "lo que bien les parece", siguen luchando por la justicia. Los anuncios prometen que el producto que ofrecen te hará feliz. La religión dice que si te esfuerzas lo suficiente podrás quedar justificado. Dondequiera que mires, hay indicios que te llevan de vuelta a Dios. El Artista ha dejado Sus huellas en Su obra.

"Porque desde la creación del mundo las cualidades invisibles de Dios, es decir, su eterno poder y su naturaleza divina, se *perciben* claramente a través de lo que él creó".[44] Estas cualidades invisibles tienen un gran potencial de cara a nuestros esfuerzos misioneros. Como toda buena historia que incluye un giro en la trama, todo tiene sentido cuando lo miramos en retrospectiva. Los propósitos de Dios, Su presencia, Su provisión fiel son mucho más fáciles de ver a la luz de la salvación. En lugar de tener que introducir una verdad extraña, los misioneros aprovechan las historias propias de cada pueblo para volvérselas a contar desde la perspectiva del reino.

En las Escrituras, la exégesis cultural se denomina "percepción".[45] La palabra, traducida de la antigua palabra griega "entender", significaba "intuición basada en la observación".

Pablo empleó esta misma técnica cuando "percibió" que los ciudadanos de Atenas eran sumamente religiosos (Hechos 17:22-33). Menciona los san-tuarios, monumentos y templos de diversos dioses, reconociendo así que incluso el panteón de los dioses griegos era una muestra de la búsqueda espiritual de la gente. El vago recuerdo de la conexión de la humanidad con el Creador los había llevado a desarrollar una mitología dramática para ex-plicar todo lo que no entendían. Para asegurarse de que no se les olvidaba ningún dios, habían erigido al menos un monumento en honor al "dios desconocido".

Pablo hizo uso de ese puente con la cultura griega. En lugar de comenzar la conversación enfrentándose a su insolente idolatría, Pablo les dijo a los atenienses que él conocía a ese Dios que ellos temían ignorar. La cosmovisión griega tenía espacio para un dios desconocido. Pablo conocía al Dios que ellos habían "olvidado". Proclamó el evangelio a los atenienses contándoles su propia historia desde la perspectiva del evangelio.

En cada cultura hay puentes que facilitan la extensión del evangelio, pero también hay barreras. Los rituales y las supersticiones que la gente venera en lugar de venerar a Dios a menudo les impiden entenderlo. Reconocer estas barreras puede ser muy útil para nuestras estrategias misioneras. Una buena comunicación del evangelio requiere que aclaremos significados y que saquemos a la luz percepciones erróneas e ideologías profundamente arraigadas.

Recientemente tuve una conversación espiritual profunda con un vecino. Él es agnóstico y cree que los humanos no pueden llegar a conocer a Dios o tan siquiera saber si existe. Recuerda haber ido a la iglesia unas cuantas veces cuando era niño, pero por lo demás no tiene ningún trasfondo religioso. Hablamos sobre el papel de la religión en la sociedad, y traté de llevar la conversación de los rituales y la tradición a una relación personal con Cristo. Podrás imaginar mi sorpresa cuando dijo: "Los cristianos somos responsables de haber cometido muchas atrocidades en nombre de Dios".

"¿*Somos*? ¿*Los cristianos*? Pensaba que no eras religioso. ¿O quizá te he entendido mal?", le dije.

"No, no lo soy", explicó mi vecino, "pero soy más cristiano que musulmán".

Para mi vecino, "cristiano" no era un concepto espiritual o una creencia. Era una etiqueta cultural, sinónimo de conceptos como Occidente, la Ilustración, estadounidense o racional. Se dio cuenta de que había una clara diferencia entre mi versión del cristianismo y la suya, pero en su opinión, yo era el que —influenciado por la cultura americana popular— le había asignado un significado nuevo. Según él, todos somos cristianos. En Estados Unidos, una de las principales barreras para el evangelio es el predominio del cristianismo cultural. Es difícil proclamar las buenas nuevas a personas que creen que ya las conocen, pero que tienen una idea muy distorsionada de ellas.

Otras culturas tienen otro tipo de barreras. A veces existen prejuicios sociales, tradiciones y tensiones étnicas que impiden una amplia siembra del evangelio. Además, algunas culturas carecen de un vocabulario espiritual básico que permita transmitir conceptos abstractos como Dios y Espíritu. ¡Imagina tratar de enseñarle a alguien acerca de la oración, la adoración, el cielo o el pecado cuando no tienen palabras para ninguna de esas cosas!

A pesar de las barreras que una cultura puede presentar, estamos llamados a comunicar el mensaje transformador de la salvación solo en Cristo. Esto implica que debemos estudiar la cultura en busca de puentes que faciliten la extensión del evangelio y en busca también de las barreras a superar para poder hacer discípulos. Nos referimos a este proceso intencional de investigación como exégesis cultural.

Exégesis de una cultura

La palabra *exégesis* significa literalmente "extraer" y hace referencia al acto de estudiar algo (texto, arte, lenguaje) y extraer su significado. Lo contrario es la *eiségesis* (literalmente "introducir"), donde el observador interpreta sus descubrimientos a la luz de sus propias presuposiciones.

Para que nuestra teología sea sana, es preciso hacer exégesis de la Escritura. Para no crear a Dios a nuestra imagen, nuestra compresión de quién es Dios debe estar basada en el estudio de Su Palabra y en lo que extraemos de ella. De la misma manera, para que nuestra misionología sea sana, es preciso hacer exégesis de la cultura. La inmersión contextual nos permite identificarnos con nuestros receptores y comunicarnos eficazmente con ellos. Es mucho más fácil amar a la gente cuando la conoces y la entiendes.

Desafortunadamente, hacer exégesis cultural puede ser difícil y requerir mucho tiempo. La objetividad es imposible, por lo que nuestra tendencia es interpretar lo que observamos en los demás a través de las lentes de nuestras propias presuposiciones. Cuando vemos algo en una cultura que nos recuerda a algo negativo de nuestra propia cultura, es fácil asignar ese significado negativo a la cultura que estamos tratando de estudiar.

En el sur de España, en Semana Santa las calles se llenan de hombres con capuchas blancas en forma de cono y túnicas blancas que cargan grandes cruces de madera. Un misionero del sur de los Estados Unidos seguramente tendrá que esforzarse para no asociar ese cuadro con el grupo supremacista del Ku Klux Klan, que lleva el mismo atuendo. En muchas culturas orientales, el silencio es una señal de respeto y, el contacto visual, de mala educación. En muchas culturas occidentales, es justo al revés: alguien que nunca habla y no mira directamente a los ojos no es de fiar. En la antigua India, el símbolo de la esvástica se usaba para desear éxito. En los países afectados por la Segunda Guerra Mundial es el símbolo del nazismo.

Las culturas asignan diferentes significados a los símbolos, las creencias y los comportamientos. Eso se llama relativismo cultural. La única manera de aprender los diferentes significados es convertirse en estudiante de esas culturas. Eso requiere exponerse deliberadamente y en oración a las cosas que influyen y dan forma a la cultura que has decidido estudiar.

La exégesis cultural es una habilidad misionera básica que nos permite ver el contexto de un pueblo a través de ojos espirituales que disciernen dónde están los puentes y las barreras para comunicar del evangelio. Debido a que la cultura es dinámica y multifacética, a veces es difícil saber por dónde empezar. Mi recomendación es comenzar haciendo exégesis de cuatro dimensiones clave: las historias, el espacio, los ídolos y el conflicto. Aunque esta lista no es exhaustiva, estas cuatro áreas son comunes a casi todas las culturas y lugares, y proporcionan una gran cantidad de información sobre los puentes y las barreras de una cultura para el evangelio.

Historias

Estaba viendo a Paul Giamatti en la miniserie de HBO *John Adams*, producida por Tom Hanks, cuando caí en la cuenta de que casi todo lo que sé sobre historia lo he aprendido viendo películas de Hollywood. No supe lo del Apolo 13 hasta que salió *Apolo 13*. *Forrest Gump* me enseñó sobre tres presidentes, Elvis Presley y los Panteras Negras. *Salvar al soldado Ryan* me expuso a los horrores de la Segunda Guerra Mundial. *La guerra de Charlie Wilson* me abrió los ojos a la involucración encubierta de los Estados Unidos en Afganistán. Ahora que lo pienso, Tom Hanks me ha enseñado toda la historia que conozco.

Es bastante embarazoso admitir que mi comprensión de la historia depende de los éxitos de taquilla, pero sospecho que no soy el único. Durante toda mi vida, las clases de historia de la escuela tuvieron que competir con estrellas de cine y efectos especiales. Desafortunadamente, las películas tienden a simplificar demasiado.

Por eso muchas veces hablamos de "los buenos contra los malos" o de pasar "de mendigo a millonario", pues así es como nos cuentan las historias. El crítico literario británico Christopher Booker dijo en 2005 que en el mundo solo hay siete hilos argumentales básicos,[46] y mi escuela hollywoodiense lo confirma.

Las historias son un aspecto central de la comunidad. Todas las culturas conservan una memoria colectiva mediante sus cuentos populares, sus historias de héroes, sus tropos y sus chistes. Esas historias son el medio por el que establecemos nuestras identidades y transmitimos nuestros valores y nuestra historia.

El autor Donald Miller dice que la verdad se transmite a través de historias, no a través de sistemas racionales.[47] Fuertemente influenciado por el profesor de escritura creativa y guionista Robert McKee, Miller anima a los cristianos a ver la verdad presente en las vidas de la gente normal. En su libro de texto para guionistas, McKee señala que los relatos son básicos y esenciales para todas las culturas del mundo. "Las historias", escribe, "son la divisa del contacto humano".[48] Miller, que organiza una conferencia anual en Portland llamada *Storyline Conference*, parte de este concepto y lo aplica a la vida de los cristianos en misión, enseñándoles la importancia de las historias y animándoles a que "cuenten una historia mejor".[49]

Todas las comunidades tienen una historia. Puede que la gran historia que da forma a una cultura no haya sido recogida en una placa y colocada en el centro de la ciudad, pero eso no quiere decir que no sea importante para esa cultura. Su presencia es probablemente más sutil. Puede encontrarse en las moralejas que los abuelos cuentan a sus nietos. Puede encontrarse en las películas, libros y memes virales que conectan con los miembros de una tribu. Puede que no tenga título y no aparezca en ningún libro, pero los miembros de esa cultura la conocen muy bien. Está en la conciencia colectiva de todos los miembros de un grupo.

Andrew Jones, misionero, blogger y gurú de la iglesia global no tradicional, ha dicho a menudo que su trabajo es "organizar fiestas y contar historias". Thom Wolf enseñó que el papel del misionero es contarles a los pueblos sus propias historias a la luz del evangelio. Ciertamente, esta es una muy buena habilidad misionera: descubrir de qué está hablando la gente, y mostrarles que todo eso está conectado con el Dios Altísimo.

Jesús era el maestro de las historias. A un grupo de fariseos les contó la historia de un fariseo orgulloso, seguro de su propia justicia y de un recaudador de impuestos arrepentido, que se sabía indigno.[50] Los fariseos estaban familiarizados con la historia que ellos pensaban que Jesús estaba contando. Era la historia que habían contado durante generaciones: ellos, los realmente devotos y santos, se distanciaron del pecado siguiendo reglas estrictas y condenando a todos los que no eran como ellos, especialmente a los pecadores y a los recaudadores de impuestos. Pero Jesús no contó la historia de la misma manera que los fariseos. Añadió un giro al final que mostraba la realidad espiritual. En esta parábola, es el recaudador de impuestos, no el fariseo, el que vuelve a su casa justificado. El recaudador de impuestos da en el clavo porque reconoce su propia indignidad y necesidad. Jesús le da la vuelta a la historia para mostrar el reino.

Es una buena exégesis cultural. Jesús no introdujo una historia nueva; usó una historia que les era familiar. Los que escuchaban se vieron a sí mismos en la historia y se dieron cuenta de que la historia era sobre ellos. Incluso aquellos que no eran ni fariseos ni recaudadores de impuestos entendieron lo que Jesús quería decir: lo que vale para Dios no es una apariencia religiosa sino un corazón contrito y arrepentido.

Espacio

La organización, mantenimiento y uso del espacio es otra área de la que hacer exégesis. Los niveles de confianza, la estructura social, los sistemas económicos y las ideologías políticas pueden discernirse observando cómo se organiza un pueblo.

Recuerda: el significado se extrae mediante la observación. La distancia entre las casas, por ejemplo, puede revelar mucho acerca de una comunidad, pero las razones por las que un grupo comparte un mismo espacio no siempre son obvias. Los habitantes de las montañas de Yemen tienden a construir sus casas muy cerca unas de otras para protegerse de los elementos. Los barrios de chabolas y chozas que rodean las ciudades de Zimbabue están densamente poblados porque antes de la independencia de 1980 los negros —aunque tenían prohibido vivir demasiado cerca de la ciudad— querían vivir lo más cerca posible. Los neoyorquinos viven muy cerca unos de otros porque la ciudad fue establecida para facilitar el comercio y compartir recursos. La exégesis de vecindarios, pueblos y ciudades puede mostrar mucho acerca de sus habitantes si miramos más allá de lo que se puede ver en la superficie.

La forma de entender de qué modo las personas se relacionan con su entorno es buscar evidencias de cambio. Durante una visita guiada al barrio de Skid Row en Los Ángeles, el sociólogo Michael Mata señaló las calles de casas construidas en la década de 1930 para ilustrar los sutiles signos de cambio.[51] En una de las calles, todas las casas tienen aproximadamente el mismo tamaño y fecha, pero el estado en el que se encuentran es muy variado: unas se han conservado y otras están muy deterioradas. Resulta que los trabajos de mantenimiento son un gran indicador del cambio urbano.

El mantenimiento nos da una idea de la demografía de un vecindario. Las familias jóvenes tendrán el jardín lleno de juguetes, mientras que los universitarios probablemente tendrán el jardín lleno de latas de cerveza. Cuando la gente se jubila, decía Mata, tiene mucho más tiempo para cortar el césped y plantar flores, y tiende a darle importancia a esas cosas. Pero a medida que se hacen más mayores, los propietarios no pueden seguir manteniendo el jardín. Si no pueden pagar un jardinero, el jardín queda descuidado. Por tanto, si la entrada a una casa se ve abandonada eso puede significar que los residentes son personas ancianas.

Otro signo de envejecimiento de la población es la presencia de mucha seguridad. Las personas de la tercera edad habrán sido testigos de muchos cambios en el barrio y es probable que hayan visto épocas de aumento y disminución del crimen, el valor de las propiedades y la gentrificación. Los ancianos que por primera vez viven solos a menudo no se sienten seguros en sus propias casas, así que lo compensan instalando cerrojos, sistemas de alarma y rejas en ventanas y puertas. Si la puerta está protegida por una reja de acero, lo más probable es que sea la casa de una persona mayor.

Los residentes que son propietarios tienen razones para cuidar sus casas. Después de todo, ser dueño de una vivienda es una inversión, y el valor de la propiedad depende de cosas como el estado del jardín y de la entrada. Los inquilinos, por otro lado, no tienen tanto incentivo para cuidar de las cosas. Cuidar el césped y recortar los setos es un gran esfuerzo solo para mantener la propiedad de otra persona. Si no hay hojas y la entrada está barrida es probable que los residentes sean propietarios de la casa.

Ser inquilino o propietario de una vivienda influye más allá de la estabilidad económica. También afecta al estado anímico de la persona. La propiedad es un símbolo de identificación y de echar raíces; esos residentes literalmente han hecho suyo el barrio. Los barrios con un mayor porcentaje de propietarios tienden a estar más conectados y suelen ser más comprometidos y seguros. Mi familia y yo experimentamos la diferencia entre alquilar y poseer cuando compramos la casa donde vivimos actualmente.

Todavía vivíamos en Barcelona cuando decidimos mudarnos a Portland, Oregón. No conocíamos bien la ciudad, pero gracias a la página web de anuncios craigslist.com, encontramos una casa para alquilar en el lado norte de la ciudad. Nunca antes habíamos tenido un jardín trasero o un garaje. Después de vivir varios años en pisos pequeños en España, aquella casita marrón de los años 30 de una sola planta nos pareció enorme. Mientras nos mudábamos, los vecinos nos observaban a través de las rejas de sus ventanas.

Hicimos un esfuerzo por conocer a nuestros nuevos vecinos, pero resultó muy difícil. Dolores, la viuda de 98 años que vivía al lado, solo nos hablaba para quejarse cuando alguien aparcaba frente a su casa. La pareja de jubilados del otro lado de la calle saludaba con la mano, pero no estaban interesados en charlar. Peter, que vivía al final de la calle, rechazó las galletas de Navidad que habíamos hecho especialmente para él por no conocernos lo suficiente como para comer algo hecho por nosotros. Sin embargo, poco a poco nos encariñamos de nuestro pequeño vecindario.

Como el contrato de alquiler de un año estaba llegando a su fin, le preguntamos al propietario si estaba interesado en vendernos la casa. Pero le estaba dando demasiado dinero como para venderla. Cuando la joven pareja que vivía al lado tuvo que mudarse por trabajo, compramos su casita azul, que era igual a la que habíamos estado alquilando. Esa mudanza fue la más fácil que hemos hecho jamás: nuestro nuevo hogar estaba a 6 metros y la distribución era exactamente la misma.

Nuestra vida siguió de la misma manera que el año anterior, pero notamos un cambio en la forma en que nuestros vecinos interactuaban con nosotros. Dolores gritaba "¡Hola!" a través de los barrotes de su puerta cada vez que pasábamos. Los dos jubilados se convirtieron en las personas más amables del mundo, dándonos muebles y ofreciéndonos sus herramientas. Peter se pasaba para quejarse de la falta de precisión en los límites de las propiedades y de la legislación urbanística injusta. Creo que ese año aceptó nuestras galletas de Navidad.

Como inquilinos, los vecinos nos habían visto como turistas, gente que estaba de paso y no iba a echar raíces. Habían visto pasar a muchas familias como la nuestra, y no valía la pena ligarse a nosotros emocionalmente. Sin embargo, al comprar una casa demostramos que estábamos aquí para quedarnos. Estábamos identificándonos con aquellas personas y uniendo nuestro destino a su prosperidad. Nos habíamos convertido en uno de ellos.

Para nosotros, todo eso tenía sentido porque eso es lo que Cristo había hecho en la encarnación. Cuando la Palabra se hizo carne,[52] Él "compró una casa" (Su cuerpo) en el vecindario humano. En el pasado, Dios había hablado a la humanidad por medio de los profetas; pero con la encarnación, Él habló a través de Su Hijo.[53] Dejar de hablar a través de mensajeros y sueños y pasar a hablar a través de Su Hijo fue un acto deliberado del Dios misionero para mostrarnos lo que debería ser el *modus operandi* de todo misionero.

En nuestro caso, las viviendas en propiedad son un valor para nuestro vecindario, pero la exégesis revelará si ocurre lo mismo en tu contexto. Quizá descubras que todos tus vecinos viven de alquiler y que piensan que poseer una casa es participar de un sistema poco ético y materialista. La cuestión es que no sabrás cuál es la mejor forma de vivir el evangelio entre esa gente hasta que no hayas hecho la investigación necesaria.

La exégesis cultural del espacio debe ir mucho más allá de la vivienda. El arte y la arquitectura, por ejemplo, juegan un papel importante en la forma en que las personas entienden su entorno e interactúan con él. Las exposiciones, al expresar ideas de maneras tangibles, pueden moldear a la vez que reflejar la opinión pública. La arquitectura puede mostrar cómo ve una comunidad a sus instituciones. Los edificios religiosos pueden estar muy adornados para evocar lo místico. Los edificios gubernamentales pueden tener un diseño utilitario para transmitir austeridad y funcionalidad. Todos esos detalles pueden decir mucho sobre los valores e ideologías de quienes diseñaron, financiaron y construyeron esos espacios.

De la misma manera, los modos y patrones de transporte a través del espacio pueden proporcionar información sobre las actitudes y valores de un grupo. Los sistemas públicos de ferrocarriles, autobuses y ferris suelen estar gestionados y subvencionados por un gobierno que también presta otros servicios básicos. Si hay muchos taxis y autocares privados, eso podría indicar que muchas personas no tienen un vehículo particular. Muchas ciudades se han llenado de bicicletas porque hay demasiado tráfico. Alguien que va en burro en una ciudad metropolitana puede ser originario de un área rural. Los edificios de gran altura que tienen ascensor probablemente sean más nuevos y más caros que los edificios bajos que no tienen ascensor.

Tus observaciones solo cuentan una parte de la historia. La perspectiva obtenida a través de lo que se ve desde fuera debe ser interpretada a través de los ojos de un lugareño. Puedes observar cómo una comunidad utiliza su espacio de diferentes maneras, pero solo el tiempo y la experiencia te dirán por qué.

Ídolos

"La naturaleza del hombre", escribió Calvino en su *Institución de la Religión Cristiana*, "es una fábrica perpetua de ídolos".[54] Esto es evidente en la ciudad. Normalmente, la palabra ídolo nos hace pensar en "piedras talladas por gente de la Antigüedad".[55] Pero la idolatría es mucho más que las estatuas de bronce que adornan los santuarios de los dioses mitológicos.

El santuario budista que decora el rincón del restaurante *dim sum* o los tótems que hay en las playas de Hawái no pasan desapercibidos, pero la idolatría no siempre es tan obvia. Los seres humanos pueden poner cualquier cosa en el lugar de Dios. Cuando miramos la ciudad desde esa perspectiva, podemos ver muchos más ídolos, a menudo más sutiles. Cualquier cosa puede ser un ídolo, pero algunas cosas se han convertido en lo que el teólogo Tim Keller ha llamado "salvadores funcionales" —esas cosas que ayudan, aunque sea temporalmente, a calmar nuestros sentimientos de culpa ante Dios.

En *Dioses que fallan*, Keller escribe: "Resulta imposible entender una cultura si no descubrimos cuáles son sus ídolos".[56] Keller, que es pastor de la iglesia presbiteriana Redeemer en la ciudad de Nueva York, a menudo ha presentado la idolatría como la mayor barrera para el crecimiento del evangelio en una ciudad. Señala que la diversidad, la tolerancia y la falta de tranquilidad tan comunes en las zonas urbanas las convierten en un caldo de cultivo para los ídolos. De hecho, la Biblia muchas veces se refiere a una ciudad mencionando a sus ídolos, como en los casos de Sodoma, Éfeso y Atenas.

Frecuentemente, los puntos de referencia de una ciudad reconocen, conmemoran o incluso homenajean a los ídolos y las fortalezas de un distrito. Si conduces por los barrios de clase trabajadora de Belfast, Irlanda del Norte, verás innumerables ejemplos. Las paredes están cubiertas de murales conmemorativos que representan a las víctimas del conflicto político y religioso que ellos llaman "The Troubles" ("los disturbios").

En principio, pintar en una pared a un amigo caído suena como algo noble. Sin duda, las heridas del conflicto son muy recientes y por eso es difícil lograr la paz. Pero los murales sirven como recordatorios constantes de las injusticias sufridas por ambas partes, y perpetúan aún más la división, la violencia y el odio que sienten. Los vecinos mantienen los murales como santuarios ideológicos, mostrando su compromiso con la causa adornándolos con fotos, banderas, recuerdos y flores. Para alguien de fuera, es como si los norirlandeses adorasen a sus camaradas asesinados. Puede que las imágenes en sí no sean ídolos, pero la amargura y el rencor sí lo son. En los corazones de los irlandeses de ambos lados del conflicto, a la ofensa se le da el lugar que legítimamente le pertenece a Jesús.

La exégesis cultural debe identificar los ídolos que se adoran en la ciudad. Efesios 6:12 le recuerda al pueblo de Dios que su verdadero enemigo no es otro pueblo: "Porque nuestra lucha no es contra seres humanos, sino contra poderes, contra autoridades, contra potestades que dominan este mundo de tinieblas, contra fuerzas espirituales malignas en las regiones celestiales". Una fortaleza es cualquier argumento o cosa elevada que se exalta a sí misma, que se levanta contra el conocimiento de Dios (2 Corintios 10:4-5). Puede ser cualquier cosa, desde el recuerdo prolongado de una ofensa o la tolerancia al pecado, hasta la vergüenza ante el fracaso o el orgullo ante el éxito.

Los ídolos potenciales incluyen el materialismo, el sexo, el poder y la riqueza. Los santuarios de estos ídolos están en todas partes: centros comerciales, vallas publicitarias, cines, restaurantes y estadios deportivos. La observación y la interacción personal sacarán todo esto a la luz y te ayudarán a ver cómo mostrar que todas esas cosas no salvan.

A menudo, los ídolos están reflejados en los valores de una cultura. Podemos descubrir los valores de un pueblo de muchas maneras, pero lo menos fiable es preguntarle a la gente directamente. Muchos no son conscientes de los ídolos en los que basan sus vidas. Los valores se ven mejor en los comportamientos, objetos y sistemas que una cultura tiene en alta estima. Ahí cabe incluir todo aquello que es importante para la gente. La mayoría de las veces, los valores se ven reflejados en la forma en que las personas invierten su tiempo, dinero y energía.

Jesús desafió los valores del joven rico[57] diciéndole que su riqueza no solo no podía salvarlo, sino que era precisamente lo que le impedía entrar en el reino. El hombre escogió voluntariamente las riquezas materiales por encima de la salvación eterna y se fue triste.

Aquí, Jesús muestra que no basta con identificar los ídolos de una ciudad, sino que hay que exponerlos como tales. La exégesis cultural nos informa y nos ayuda a entender, pero el trabajo del misionero es mucho más que entender. En Atenas, Pablo mostró el valor de reconocer la idolatría (Hechos 17) cuando confrontó los ídolos que allí adoraban. De entre los que escuchaban, algunos dijeron: "Queremos que nos hables en otra ocasión de este tema". Y el texto bíblico dice que "algunas personas se unieron a Pablo y creyeron". Para poder hacer discípulos, debe haber un llamado claro a dejar de servir a las cosas creadas para servir al Dios Altísimo.

Conflicto

Otro elemento cultural significativo del que hay que hacer exégesis es el conflicto. En su sentido más básico, el conflicto implica cualquier tipo de desacuerdo entre personas. La confrontación, la agresión y la guerra son algunos ejemplos, pero el término "conflicto" abarca mucho más. Las personas, desde la caída del ser humano, están en conflicto tanto interna como externamente: la vergüenza, la culpa, la ofensa, el miedo y el odio son emociones humanas universales.

Para encontrar estos conflictos internos, deberemos partir de las observaciones que hemos hecho sobre los valores de un pueblo. Siempre hay conflicto cuando algo desafía los valores de un pueblo. Un grupo que se arrodilla ante el trono del consumismo se endeudará de forma descontrolada para mantener su estilo de vida materialista. Las personas que valoran su sistema político por encima de todo lo demás matarán para preservar ese sistema. Las amenazas a las familias, la libertad, la religión y el control siempre conducen al conflicto.

Turquía es una nación en conflicto. Puente entre los continentes europeo y asiático, Turquía tiene una larga historia de guerras con Oriente y Occidente. Los conflictos externos han causado conflictos internos; por un lado, es una antigua nación musulmana, de tradición otomana y siempre bajo la influencia árabe. Por otro lado, es una democracia moderna y laica, con estrechos vínculos con Occidente y un fuerte deseo de unirse a la Unión Europea. Constantemente, los turcos viven un conflicto interno por desear ser lo que quieren odiar.

Definidos en cierta medida por estos conflictos, la tensión es visible en todos los ámbitos de la vida. La llamada a la oración suena cinco veces al día, pero los gritos del imán son ahogados por la música hip-hop que se oye en las calles. En torno a los bazares medievales se han construido un sinfín de modernos centros comerciales. En el norte, la agresión armada contra la minoría kurda continúa. La isla de Chipre está dividida literalmente por la mitad: el lado griego al sur, y el turco al norte. Los turcos son un pueblo en conflicto.

Después de la tortura y el asesinato de tres misioneros cristianos en Turquía en 2007,[58] los cristianos turcos se armaron de valor. Cansados de ser intimidados, muchos comenzaron a identificarse públicamente como seguidores de Cristo. Un joven turco plantador de iglesias ha sido llevado a juicio por compartir su fe. Un matrimonio mayor ha establecido una punta de lanza abriendo una cafetería. Un pastor cristiano se enfrenta al ridículo y a amenazas físicas cada vez que se acerca al edificio de su iglesia. Sin embargo, los turcos se están convirtiendo al cristianismo. Y es que, en medio del conflicto, el evangelio de paz con Dios a través de Jesucristo es una muy buena noticia.

El conflicto es universal. Cuando hagas exégesis cultural, busca señales de lucha. La pobreza extrema, la guerra, la opresión, la protesta y los disturbios son claros indicios de una división social profunda. Pero hay indicios que son menos obvios. Aunque a menudo se ve como algo positivo, la gentrificación y el crecimiento explosivo pueden alimentar el conflicto entre generaciones, razas, clases sociales e ideologías. Donde hay conflicto, hay dolor, frustración, malentendidos y animadversión. Presta atención a la retórica acalorada, las reacciones airadas y la demonización que unos hacen de otros. Por supuesto, no basta con que el misionero detecte las señales de conflicto. Para vivir acercando el reino, debemos interponernos como pacificadores. Aunque pueda sonar ilógico, lo hacemos yendo a los débiles y oprimidos y alentándolos a no buscar represalias. Thom Wolf ve un patrón de discipulado en todo el Nuevo Testamento: en cualquier conflicto, el lado más débil es el que tiene el poder para hablar de paz y buscarla.[59]

Wolf señala que a lo largo de sus epístolas, Pablo apela en primer lugar a la parte más débil de la sociedad y luego a la más fuerte, instando a ambas a responder la una a la otra con gracia y perdón.[60] Pablo se dirige a cinco parejas: (1) esposas y sus maridos, (2) hijos y sus padres, (3) empleado y empleador, (4) persona de dentro y persona de fuera, y (5) cristianos y autoridades. En cada caso, la atención que Pablo presta a la minoría muestra la capacidad que esa persona tiene para controlar el conflicto. El ciclo de la agresión se rompe cuando la víctima de opresión responde mostrando perdón a su opresor. La exégesis cultural te ayudará a descubrir a la persona o al grupo de personas que pueden hacer de pacificadores en medio de la tensión y la violencia.

La exégesis cultural es una habilidad misionera básica. Es una habilidad que se aprende solo a través de la práctica, la paciencia y el estudio diligente. Así como los maestros de la sana doctrina insisten en el estudio profundo de las Escrituras y en una interpretación basada en ese estudio profundo, las iglesias deberían equipar a sus miembros para que estos sean hábiles exégetas de la cultura en la que se encuentran.

CÓMO HACER EXÉGESIS CULTURAL

Observa todo lo que puedas. Con demasiada frecuencia, los misioneros recurren a los libros o a Internet para hacer averiguaciones sobre las costumbres y la cultura de la gente a la que quieren servir. Se puede aprender mucho de esa manera, pero nada se compara con la experiencia de campo que se obtiene al examinar la cultura con tus propios ojos.

Historias—Escucha a los contadores de historias locales, lee literatura autóctona, ve la televisión local y sus películas. Busca temas comunes, sentimientos populares y pistas para conocer la perspectiva de esa cultura sobre la identidad con relación a Dios, la creación y el resto de la humanidad.

Espacio—Ocupa el mismo espacio que la gente a la que has sido enviado. Si se reúnen en torno a fogatas, únete a ellos. Si se reúnen en las cafeterías, toma una silla y aprende a disfrutar del café. Si viven en bloques de pisos, múdate a uno de esos edificios. Para hacer exégesis del uso que hacen del espacio, debes, en la medida de lo posible, compartir ese espacio con ellos.

Ídolos—Identifica en qué basan sus vidas las personas a las que quieres alcanzar. Averigua de qué tienen miedo. Descubre qué cosas adoran en lugar de adorar al Dios Altísimo y empieza a pensar cómo mostrar a la gente que es mejor adorarle a Él.

Conflicto—Busca fuentes de tensión y de conflicto no resuelto. Por lo general, la gente establece reglas para resolver los conflictos.

Haz muchas preguntas. En lugar de asumir que sabes por qué la gente hace lo que hace, pregúntales. Eso te dará oportunidades para construir relaciones y compartir el evangelio. Aprende las historias, experimenta el espacio, identifica a los ídolos y, en medio del conflicto, descubre formas de defender la paz. Anota lo que observas, ya que más adelante probablemente te des cuenta de que las cosas que has anotado son puentes o barreras para el evangelio.

CONSTRUYENDO RELACIONES
[Capítulo 5]
Rodney Calfee

El evangelio tiene que ver con relaciones. Las buenas noticias tienen que ver con un Rey que se hizo como la gente para poder relacionarse con ella, para que todas las personas pudieran entender quién es Él realmente. Él desea que podamos tener relación con Él, una relación redimida y libre de cargas, y pagó el precio necesario para lograrlo.

Jesús habló casi sin cesar acerca de las relaciones: Su relación con Su Padre,[61] Su relación con Sus seguidores,[62] la relación entre Sus seguidores[63] y la de Sus seguidores con los demás.[64] Los autores del Nuevo Testamento escribieron con los mismos énfasis, es decir, la relación de Dios con Su pueblo en y a través de Cristo, las relaciones de los creyentes entre sí (la Iglesia), y cómo se relacionaban con el mundo como embajadores de Cristo.

Si también debemos entender y proclamar el evangelio a la luz de las relaciones, entonces tenemos que aprender todo lo que podamos sobre las relaciones en general: cómo iniciarlas, cómo conservarlas, cómo cultivarlas e incluso cómo ponerles fin. Sobre todo, si queremos seguir las instrucciones de Jesús de buscar a las personas de paz (Lucas 10) y aprovechar esas relaciones para la extensión del evangelio, entonces las herramientas relacionales deben convertirse en una prioridad.[65]

Las relaciones precisan de algún tipo de vínculo

Los vínculos conectan a las personas y las colocan en diferentes tipos de relaciones, ya sean buenas, malas o indiferentes. Relaciones de parentesco, de amistad, relaciones vinculadas a una etapa concreta de la vida, a un hobby, una afinidad o una aversión. Todos esos vínculos son conectores. Son las semillas de la relación. Cada relación tiene al menos un conector, y cuanto más profunda es una relación, más conectores existen.

Por ejemplo, dos hombres que son amigos de toda la vida probablemente tienen miles de conectores en forma de recuerdos compartidos y experiencias que se remontan a la época en que jugaban juntos a la pelota a la edad de cuatro años. Los compañeros de trabajo están conectados porque comparten objetivos y el espacio en la oficina. Los surfistas están conectados por su pasión por el deporte y la búsqueda de la ola perfecta. Los seguidores de los Green Bay Packers están conectados porque llevan esas llamativas gorras en forma de queso y esas manos gigantes de gomaespuma verdes y amarillas.

Los enemigos también tienen un conector relacional. En algún momento de su historia han vivido algo que les ha llevado a estar en desacuerdo y eso ha provocado que su relación sea una relación llena de odio. Su vínculo es esa experiencia y su relación se basa en esa experiencia.

Dios es relacional

Cuando leemos la historia de Dios, pronto descubrimos que Jesús es bueno en las relaciones. Busca puntos de conexión y los aprovecha. Presta atención a las personas y desarrolla relaciones basándose en lo que sabe de ellas.[66] Sus seguidores deberían hacer lo mismo. Debemos esforzarnos por desarrollar habilidades relacionales porque el evangelio se transmite a través de las relaciones personales. Es a través de las relaciones personales que continuará extendiéndose.

Somos llamados a una estrecha relación con Dios Padre por medio de Cristo. Dios siempre ha existido en comunidad, y nosotros tenemos el mismo carácter comunitario.[67] En su libro sobre teología trinitaria, el teólogo, autor y profesor Millard Erickson escribió sobre el efecto en la iglesia de entender que Dios es comunitario (trino). Escribió: "Una primera consecuencia sería [...] que la condición de persona implica interacción social, relaciones sociales. En la medida en que el individuo refleja la imagen del Dios trino, ese individuo no sería solitario o independiente, sino que estaría relacionado con otras personas [...] de una manera particular".[68] Puesto que estamos hechos a imagen de Dios, nosotros también somos comunitarios o relacionales.

Las Escrituras describen la infinidad de formas apropiadas en que nos relacionamos con Dios y Él se relaciona con nosotros. Él es Creador y nosotros lo veneramos como tal. Él es nuestro Sanador y vamos a Él con nuestro corazón quebrantado. Él es Redentor así que vamos a Él para que nos restaure. Él es Proveedor, Amante, Defensor, Perdonador, Pastor y Juez, y nos relacionamos con Él de una manera que encaja con Su carácter.

Por ejemplo, Dios es Santo, así que no podemos acercarnos a Él con nuestro pecado. En cambio, Él nos ha perseguido y ha tomado la iniciativa de pagar nuestra deuda a través de la vida, muerte y resurrección de Cristo. Somos limpiados del pecado y recibimos la justicia de Cristo para reconciliar nuestra pecaminosidad con la santidad de Dios (Romanos 3, 21-26; 2 Corintios 5, 21). Por tanto, nos relacionamos con Dios entendiendo lo mejor que podemos quién es Él y acercándonos a Él de acuerdo a lo que sabemos de Él.

Nadie se acerca a un rey con una lista de demandas; en cambio, cuando a uno le llaman a comparecer ante el rey, se acerca con humildad y mansedumbre y ruega misericordia. De la misma manera nos relacionamos con Dios, que también sabemos que es misericordioso con los que Él ha llamado. Nos relacionamos con Él a través de Su Hijo encarnado, Emanuel, que es Dios con nosotros. Pero podemos hacerlo solo porque Jesús vivió entre nosotros, se relacionó con nosotros y experimentó las mismas tentaciones que nosotros. Él se relacionó con nosotros para que nosotros podamos relacionarnos con Él. Todo eso lo hizo para que recuperáramos la relación con Él; Dios atrajo al ser humano hacia sí como parte de su gran plan redentor.

Piensa en las grandes historias de las Escrituras: el llamado a Abraham para salir de Ur, el llamado a Moisés para rescatar al pueblo de Dios del faraón en Egipto, el llamado a Josué para llevarlos a la tierra prometida, los profetas que hablaron de parte de Dios, la obediencia valiente de Pedro al llevar el evangelio a casa de Cornelio y la resistencia de Pablo cuando determinó que serviría al Señor aun encadenado. El propósito redentor de cada una de estas historias es que la gente conozca "al único Dios verdadero, y a Jesucristo, a quien [Él] ha enviado".[69] Su propósito es que tengamos una relación redimida con Dios.

La iglesia es relacional

Los creyentes también se relacionan entre sí de un modo familiar.[70] Los autores del Nuevo Testamento se referían a los creyentes de forma constante y deliberada como hermanos y a Dios como Padre,[71] hablaban de nuestra reconciliación con Dios que nos hizo parte de su familia[72] por medio de la adopción,[73] y enseñaban que debemos amarnos los unos a los otros como una familia.[74]

Pablo enseñaba que en la familia de Dios las distinciones y divisiones habían desaparecido. No hay hombre, ni mujer; ni esclavo, ni libre; ni judío, ni griego.[75] Somos uno, relacionados por la sangre de Cristo. Nuestra relación ya ha sido definida. Nos relacionamos a través del cuerpo y la sangre de Cristo. Nuestras diferencias se desvanecen a la luz de la cruz.

El evangelio es el principio unificador para que aquellos que forman parte de la iglesia se relacionen unos con otros. Nos unimos como pecadores que han experimentado el perdón de Cristo y han sido limpiados por Su sangre. Somos parte de un cuerpo, por lo que debemos relacionarnos unos con otros como tal.[76] Todavía nos queda mucho trabajo por hacer para relacionarnos como Dios pide, pero al menos entendemos cuál es el principio unificador de nuestra relación.

Sin embargo, lo que algunos dentro de la iglesia no tienen tan claro es cómo relacionarse con personas que no son creyentes, personas que no entienden o han rechazado el principio relacional básico sobre el cual construimos nuestras relaciones dentro del cuerpo. En cuanto a este tema, hay enfoques muy variados que van desde el aislamiento hasta la inclusión sincretista. Los extremos son un error teológico obvio, pero la mayoría de los creyentes nos encontramos en algún punto del espacio que queda entre los dos extremos, y ese espacio a menudo son aguas que no son fáciles de navegar.

La barrera más grande a la hora de construir relaciones con personas que no son parte de la familia de Dios es que no operan de acuerdo a Sus normas. El factor unificador común de las relaciones cristianas no nos une con los incrédulos porque ellos no creen o actúan "como nosotros". Pero, ¿por qué iban a hacerlo? Debemos recordar que tampoco creíamos ni actuábamos "como nosotros" antes de que Dios nos salvara. En muchos casos, es como si la Iglesia hubiera olvidado que antes no podíamos relacionarnos con Dios. Éramos Sus enemigos y Cristo tuvo que acercarse a nosotros para reconciliarnos con Dios (Romanos 5:10).

Dios prescribió la manera en que debemos interactuar unos con otros dentro de Su cuerpo, y también debe condicionar la manera en que nos relacionamos con los de afuera. La característica principal era y sigue siendo el amor. En Deuteronomio 4, Moisés comenzó a exponer y explicar la ley que Dios había dado a Su pueblo como una directriz sobre cómo vivir entre las naciones. Su obediencia a la ley iba a ser un faro de justicia que haría que los pueblos vecinos vieran la grandeza de Dios (Deuteronomio 4:5-8). El mayor mandamiento de la ley era el amor (Deuteronomio 6:5).

Jesús se hizo eco de la misma idea, enseñando que el primer mandamiento era amar a Dios y, el segundo, amar a los demás (Marcos 12:28-34). También les dijo a los discípulos que el amor sería la marca característica de Sus discípulos (Juan 13:33- 34). La manera en que se amaban unos a otros mostraría al mundo que eran seguidores de Jesús. Para que el mundo pudiera ver su amor debían relacionarse con el mundo, estar cerca de él. Por eso Jesús le pidió al Padre que no los sacara del mundo, sino que los guardara del maligno (Juan 17:14-18).

Desafortunadamente, con demasiada frecuencia el enfoque de la iglesia es exigir que los de afuera vivan de acuerdo a un código moral que les permitirá relacionarse con nosotros y, por ende, con Dios (es decir, abstente del sexo, las drogas y el rock duro, y podremos ser amigos). En vez de construir relaciones significativas con personas no creyentes para que puedan ver el carácter de Dios en y a través de nosotros (por imperfecto que sea), exigimos al mundo una santidad que nadie puede practicar de no ser por la gracia de Dios.

Pocos de nosotros diríamos eso en voz alta; simplemente actuamos de esa manera al hacernos amigos de personas que son "menos inmorales" que otros y condenar a los "más inmorales" por no cumplir un código ético que ni siquiera suscriben. Esto se aleja mucho del Jesús que seguimos, a quien los "justos" llamaron amigo de pecadores (Lucas 7:34).

La verdad es esta: los hijos de Dios no se relacionan solamente por afinidad sino por la experiencia común del evangelio. Hemos sido perdonados (Colosenses 1:14), limpiados (2 Pedro 1:9), adoptados (Gálatas 4:4-7), hemos recibido nombres nuevos, un nombre común (Efesios 3:15) y hemos sido enviados para representar a Aquel cuyo nombre llevamos ahora (2 Corintios 5:18-20). Las Escrituras no nos piden que nos relacionemos unos con otros (nos unamos) porque nos gusta pasar tiempo juntos. Nos unimos porque tenemos un mismo Salvador y una misma misión, elementos que no tenemos en común con personas que no son de la familia de Dios. Así que debemos ser capaces de construir relaciones basándonos en otros factores externos.

HACER AMIGOS ES BUENO. CÓMO ACERCARNOS

Para hacer la misión, una herramienta importante es ser capaz de hacer amigos. Aunque suene simplista, es importante señalar que trabajar las relaciones personales es de suma importancia y no es algo natural para muchas personas. Desarrollar amistades implica salir de tu zona de confort; por eso muchas personas, incluyendo los cristianos, lo evitan. Eso no ayuda.

Yo soy introvertido. Disfruto de las multitudes, siempre y cuando conozca a la mayoría de las personas o esté frente a ellas. (Sí, confieso que me gusta estar en el escenario). Sin embargo, cuando se trata de gente nueva, me cuesta identificarme. Tengo que esforzarme para encontrar algo en común sobre lo que construir. No se me da muy bien la conversación informal, así que, si no encuentro algo que tengamos en común, me bloquearé y querré desaparecer. Por lo tanto, a mí me resulta útil tener a mi disposición algunas herramientas para construir relaciones.

Sé que no soy el único que necesita mejorar sus habilidades sociales. Así que a continuación he incluido varias herramientas para desarrollar relaciones personales. No se trata en absoluto de una lista exhaustiva, sino de una lista que puede ser un buen punto de partida:

1. Las personas no son objetivos; son portadoras de la imagen de Dios

Las personas no son metas que alcanzar ni el objetivo de nuestras tareas. Todas han sido creadas a imagen de Dios. Al igual que nosotros, son seres relacionales que merecen que las tratemos como tales.

La gente necesita y desea relacionarse, incluso los introvertidos como yo; y construir relaciones forma parte de nuestro estatus de embajadores (2 Corintios 5:11-21). Sin ese paso, la reconciliación no es posible. A medida que construimos relaciones, debemos cuidar nuestro lenguaje. La forma en que describimos a las personas y la forma en que hablamos de ellas determinará la forma en que las tratamos.

Piensa en un amigo cercano. ¿Qué piensas de él? ¿Qué sientes por él? ¿Cómo hablas de él? ¿Cómo le tratas? Ahora compáralo con la forma en que tratas a alguien que no conoces muy bien, como el hombre que te atiende en el banco, el cajero del supermercado o la mujer que te sirve el café todos los días. La forma en que etiquetas a las personas a menudo determina la forma en que las tratas. Piensa en el lenguaje que normalmente usamos en el evangelismo. Primero, las personas son los "perdidos". Cuando escuchan y creen el evangelio les llamamos "nuevos cristianos". Luego empiezan a crecer y pasan a ser "personas a las que discipulamos".

Cuando hablamos de la misión local o global, muchas veces hablamos de números o usamos términos como "almas". Pero, ¿cuándo se convierten en tus amigos? ¿Cuándo pasa de ser "un alma perdida" a "mi amigo Roger"? Está claro que para Jesús esa distinción era importante. En Juan 15:15, Jesús dijo: "Ya no os llamo siervos, porque el siervo no está al tanto de lo que hace su amo; os he llamado amigos, porque todo lo que a mi Padre le oí decir os lo he dado a conocer".

Sus discípulos eran Sus amigos porque les había compartido la verdad. De manera similar, nuestro papel como embajadores es el de compartir la verdad acerca de Dios en Cristo, el de dar testimonio de la luz (Juan 1:7-8). Según las palabras de Jesús, eso lo hacemos con nuestros amigos, con las personas que amamos. Piensa en las palabras que usa. Las palabras son importantes. Sirven para definir. Con nuestras palabras, definimos a las personas. Podemos tratarlas como personas dignas de nuestra amistad o sentenciarlas de por vida a ser un proyecto más.

Si elegimos esta última opción, no debería extrañarnos que la gente responda mal. No estoy abogando por eliminar toda la terminología descriptiva; simplemente estoy sugiriendo que debemos procurar que las etiquetas que usamos no nos hagan tratar a las personas de una manera que no nos lleve a construir relaciones honestas con ellas. En la medida de lo posible, debemos evitar las etiquetas y las categorizaciones. Cuando creemos que ya sabemos cómo es alguien, la relación se estanca y ya no descubriremos más sobre él.

2. Debemos compartir el evangelio en el contexto de una relación personal

Las relaciones personales generan confianza, lo cual es imprescindible para una transmisión adecuada del evangelio. De hecho, hay un par de expresiones sobre la comunicación que se pueden aplicar bien a la evangelización:

"Debes ganarte el derecho a ser escuchado."

"El amor se demuestra con hechos, no con palabras."

Estas afirmaciones, aunque un poco trilladas, apuntan a una realidad. Puesto que somos seres relacionales a imagen de Dios, el contexto apropiado para sembrar el evangelio son las relaciones personales. Sin embargo, los creyentes muchas veces pedimos a las personas ese tipo de confianza antes de demostrarles que realmente nos importan —antes de conocerles de verdad: sus heridas, sus anhelos, sus necesidades.

En esos casos, la gente no necesariamente rechaza el evangelio, sino que está rechazando la manera en que lo presentamos. Si no sabemos nada acerca de aquellos a quienes somos enviados, no podemos saber de qué forma el evangelio es buenas noticias para ellos. El evangelio siempre es buenas noticias, pero para saber de qué forma el evangelio habla a un individuo en particular tenemos que saber quién es ese individuo. Dar por sentado que sabemos lo que el otro necesita escuchar puede ser peligroso e incluso puede provocar que rechacen el mensaje porque lo asocian equivocadamente a la forma insensible en la que lo hemos transmitido.

La buena noticia que recibió la mujer samaritana fue muy diferente a la buena noticia que recibió el funcionario real a cuyo hijo Jesús sanó unos días después (Juan 4). En cada caso, Jesús actuó en base al conocimiento que tenía de aquellos a los que había sido enviado, cuáles eran sus necesidades y qué eran buenas nuevas para ellos. En ambos casos, el resultado fue que tanto ellos como sus familias creyeron en Él como el Mesías.

Debemos dedicar tiempo a conocer a aquellos a quienes somos enviados para compartir el evangelio en el contexto de las relaciones personales. Piensa en tu reacción inicial cuando un buen amigo te pide diez euros y compárala con tu reacción inicial cuando un mendigo hace lo mismo. ¿Cómo reaccionas? El factor determinante es la relación personal. El mismo principio se aplica cuando compartimos el evangelio. El contexto apropiado para sembrar el evangelio es una relación personal.

3. No asumas que ya lo sabes. Haz preguntas

"Por la gracia que se me ha dado, os digo a todos vosotros: Nadie tenga un concepto de sí más alto que el que debe tener, sino más bien piense de sí mismo con moderación, según la medida de fe que Dios le haya dado", dijo Pablo en Romanos 12:3. Como había sido fariseo, Pablo sabía lo que era tener todas las respuestas y "confiar en los esfuerzos humanos" (Filipenses 3:4-7). Él era un maestro de la ley y, a la luz de lo que encontramos en los Evangelios, los fariseos solo hacían preguntas para probar que sabían más que nadie o para tender una trampa a Jesús y Sus seguidores (Marcos 12:13-14; Lucas 5:21). Así que Pablo les dice a los creyentes en Roma que tengan cuidado con el orgullo.

En la actualidad, los creyentes recibimos muy bien estas palabras de Pablo, ya que nos quedamos con la idea de que debemos tener un alto concepto de nosotros mismos. Tendemos hacia el orgullo, como los fariseos, y a la mayoría de nosotros nos encanta tener las respuestas. Normalmente, el que tiene las respuestas es el que acaba estando al mando.

Jesús obviamente sabía las respuestas y muchas veces enseñaba de manera prescriptiva haciendo muchas preguntas. No siempre ofrecía las respuestas, sino que invitaba a los demás a participar en la conversación. De ese modo, reconoció y afirmó el valor que tenían como portadores de la imagen de Dios y les transmitió que sus respuestas merecían ser escuchadas. Corrigió con amor respuestas que no estaban en línea con la verdad y llevó a muchos a seguirle, es decir, a aceptar la verdad.

Por otro lado, muchas veces el enfoque principal de la iglesia es la apologética: tratamos de defender la verdad a través de la razón en lugar de ofrecer el amor de Cristo a través de las relaciones personales. A veces es necesario presentar una defensa completa de la fe; pero cuando eso ocurre en las Escrituras, es para confrontar las falsas enseñanzas dentro de la iglesia,[77] no fuera de ella.

Nuestra actitud hacia los que están fuera de la iglesia debe ser el amor, no el antagonismo, postura que podemos asumir fácilmente cuando creemos que, para ganarles, debemos probarles que están equivocados. La gente no necesita escuchar una defensa de Dios; necesita experimentar Su carácter a través de Sus representantes. Debemos tener cuidado de no asumir una posición de adversario ya que, de ese modo, estaremos presentando a Dios como un adversario.

Para tener una actitud correcta, lo mejor es hacer preguntas y escuchar bien las respuestas. Al hacerlo, podemos descubrir quién es la persona que tenemos delante y de qué modo el evangelio responde a sus necesidades. No podemos aprender sobre las personas diciéndoles lo que necesitan saber. Aprendemos sobre las personas pidiéndoles que ellas mismas nos digan quiénes son y cómo son. Preguntamos, y luego escuchamos. Ellas nos dirán cómo debemos compartir el evangelio de una manera que sea relevante e impactante en sus vidas.[78]

Aún recuerdo la primera vez que hablé con ella. La señora Debbie, o así la llamaremos, era la "abuela" del vecindario. Todos la conocían y ella conocía a todo el mundo. También conocía la vida de todo el mundo. Había vivido en la misma casa de protección oficial por más de 50 años. Era una mujer dulce y me abrió su casa después de tan solo un par de conversaciones.

Cuando conocí a la señora Debbie llevaba un año intentando involucrarme en aquel vecindario, que estaba a unas pocas manzanas del edificio de mi iglesia local. Al igual que hice con el resto de las personas que había conocido, asumí muchas cosas sobre la señora Debbie. En primer lugar, di por sentado que sabía lo que ella necesitaba. Necesitaba salir de aquella casa. Para mudarse, necesitaba un buen trabajo. Y para conseguir un buen trabajo, necesitaba el título de secundaria y conocer a alguien importante. Yo pensé que le iba a transmitir las buenas nuevas ayudándola a lograr esas cosas.

Hablamos mucho, y pasamos mucho tiempo hablando de su vecindario y de la gente que vivía allí. Sin embargo, años después me di cuenta de que las buenas noticias que yo tenía para la señora Debbie no eran las buenas noticias que ella necesitaba. Ya había escuchado todo eso antes, pues en el pasado otros cristianos habían prometido ayudarla a hacer las mismas cosas que yo le estaba prometiendo.

Si hubiera prestado más atención, haciéndole preguntas y escuchándola en lugar de decirle lo que ella y su comunidad necesitaban, me habría dado cuenta de que, para ella, la buena noticia era mucho más sencilla. Aunque conocía a todo el mundo, no tenía amigos de verdad. Se sentía sola. No quería marchar de aquel lugar; era el único hogar que podía recordar y todas las personas que más le importaban estaban allí.

Tal vez si hubiera escuchado más y hablado menos, asumido menos y aconsejado menos habría podido ser un buen amigo. Mis hijos podrían haber jugado en su sala de estar mientras mi esposa y yo escuchábamos las innumerables vivencias que ella quería compartir con quien estuviera dispuesto a escucharlas. En cambio, mis suposiciones me impidieron llevarle las buenas nuevas de Jesús a una mujer desesperadamente necesitada de Él. Unas cuantas buenas preguntas y un oído atento me habrían permitido ser un buen amigo, y ese cariño —esa relación— habría dado peso a las buenas noticias que yo quería compartir.

Debemos recordar que las relaciones son una inversión a largo plazo. Para crecer, requieren cuidado y esfuerzo. Ambas personas tienen que querer, y por eso no podemos forzarlas. Las relaciones avanzan al ritmo que ambas personas marquen. No importa lo encantadores, culturalmente sensibles y divertidos que seamos; no importa lo bien que escuchemos; no importa que a otros les caigamos bien. Si no quieren iniciar una relación de amistad, no habrá relación de amistad. Solo podemos desarrollar nuestro lado de la relación. Debemos darle tiempo.

Cualquier relación personal que puedas tener es un regalo de Dios. Él ha puesto ahí a las personas que forman parte de tu vida. Da gracias por esas relaciones y sé un buen administrador de esos regalos. Pasa tiempo orando por ellos. Piensa en ellos y haz una lluvia de ideas de maneras creativas en las que podrías pasar más tiempo con ellos. Aprende acerca de las cosas que les gustan y aprovecha al máximo el regalo que son los amigos (Mateo 25:13-30).

4. Evita engañar

No seas amigo de alguien solo para que se convierta. Si las personas merecen tu amistad porque han sido creadas a imagen de Dios, entonces la merecen sigan a Jesús o no. Debemos tratar a los demás tal como nos gustaría que nos tratasen a nosotros, y a ninguno de nosotros le gustaría que alguien se hiciera nuestro amigo por una motivación o un interés oculto.

He oído hablar de un misionero que estuvo trabajando en la misma zona durante varios años. Allí se hizo amigo de un hombre con el que tenía bastante afinidad. Compartían muchos intereses comunes y eso les unió. Después de varios años de amistad, el tiempo del misionero en aquella zona llegó a su fin. Antes de marcharse, llevó a su amigo a tomar un café y, armándose de valor le explicó el evangelio con un gran sentido de urgencia. Le dijo a su amigo que esa noticia era tan importante que no podía irse sin compartirla con él.

El amigo escuchó paciente y atentamente mientras el misionero le contaba la historia de Jesús. Cuando acabó y llegó el momento de las despedidas, el amigo del misionero solo tenía una pregunta. El misionero esperaba que su amigo le preguntara cómo seguir a Jesús y qué tenía que hacer para ser salvo, y en su mente ya estaba preparando la respuesta. Para consternación del misionero, en lugar de la pregunta que tanto quería escuchar, su amigo simplemente le preguntó que, si era tan importante, por qué había esperado hasta entonces para compartir esa historia con él. El momento escogido por el misionero hizo que su amigo se preguntara si la amistad de todos aquellos años había sido real.

Usar la amistad para un fin es peligroso. Cuando nos acercamos a alguien con esa mentalidad, la amistad está basada en un engaño y la obsesión por lograr ese fin no deja espacio para conversar sobre cosas importantes sin que metamos con calzador el tema espiritual. Además, pone en duda la validez de la amistad, como acabamos de ver. En lugar de construir relaciones con una motivación engañosa, debemos ser honestos acerca de quiénes somos.

Eso no significa que tengamos que llevar una camiseta con un versículo o regalar "Palabritas" todo el tiempo. Significa vivir el carácter de Cristo como está prescrito en las Escrituras, para que los demás puedan ver nuestras buenas obras y glorificar a nuestro Padre que está en el cielo (Mateo 5:13-16).

No debemos tener miedo de presentarnos de forma honesta ante la gente. Es más, una relación así nos dará la oportunidad de dar razón de la esperanza que tenemos en Cristo (1 Pedro 3:15). No debemos caer en desarrollar amistades simplemente como un medio para predicar. Nuestro objetivo es compartir "no solo el evangelio de Dios, sino también nuestras vidas".[79] Las personas a quienes somos enviados merecen que abramos nuestras vidas. Como resultado, tendrán la oportunidad de ver a Cristo en nosotros y escuchar las palabras del evangelio llenas de gracia cuando interactuemos.

5. Sé una bendición

Tal vez esto lo damos por hecho. Pero lo mencionaré de todos modos. El resultado del pacto original con Abraham fue que el mundo sería bendecido a través de él y su linaje.[80] El hecho de que somos embajadores y por lo tanto representamos a Cristo en el mundo significa que somos mensajeros de buenas nuevas. Las buenas noticias son, por naturaleza, buenas para los que las reciben. Por tanto, los embajadores de buenas nuevas deberían bendecir a la gente que los rodea. Sorprendentemente, la gente que ha sido bendecida suele estar abierta a una relación más profunda con la persona que la bendijo.

6. Sé una persona interesante

Cuando uno es interesante, atrae la atención de otras personas. Están intrigadas y se sienten atraídas. Nadie busca a la persona más aburrida de la sala y corre a pasar tiempo con ella. A la gente le gusta estar con personas que cuentan buenas historias, disfrutan de la vida y sienten pasión por algo. Los cristianos deberíamos ser los mejores en todas esas cosas. Tenemos la mejor historia que contar. En base a esa historia, deberíamos disfrutar de la vida inmensamente. De hecho, Jeff Vanderstelt, pastor fundador de las Comunidades Soma, dice que los cristianos debemos montar las mejores fiestas porque tenemos algo real que celebrar.[81] Debido a estas cosas, nuestra pasión por Cristo y Su reino debería ser evidente para los que nos rodean. Los cristianos deberíamos ser personas creativas, divertidas, apasionadas, alegres e interesantes. Sé esa persona.

A continuación, incluyo algunas claves para ayudarte a ser una persona interesante:

Sé un testigo. No es tanto que tengas un testimonio de tu vida, ¡sino que tú mismo eres un testigo de la vida más asombrosa de la historia! Eres testigo de la luz que resplandece en las tinieblas y la vence (Juan 1:7-8). Eres testigo de lo que Jesús ha hecho y, más concretamente, de cómo Él te ha redimido. Cuando la gente habla de tener un testimonio, a menudo se centran en temas de moralidad, que no es algo malo en sí mismo. Obviamente, los cristianos deben ser personas morales, pero eso no equivale a ser un testigo. Un testigo es alguien que tiene un conocimiento particular de algo o alguien de interés; es alguien que ha experimentado algo o a alguien importante. De ahí que Juan dijera que él era testigo de la Luz verdadera y que hablaba de Él. Con palabras y hechos debemos ser testigos de la Luz. La gente no verá a Jesús en nosotros por nuestra moralidad. Hay muchas personas morales que no tienen ni idea de quién es Jesús. No debemos ser conocidos por lo que no hacemos, debemos ser conocidos por nuestro amor, un amor que aprendimos de Jesús (Juan 13:34).

Recuerda los nombres de las personas. Escríbelos. Añádelos en tu teléfono. Lleva un pequeño cuaderno y toma notas cuando puedas. Sé ingenioso: haz una foto con tu teléfono mientras no están mirando y añádelos a la agenda de contactos. Haz lo que sea necesario con tal de no olvidarte. Además, al anotar los nombres de las personas, presta mucha atención a la pronunciación, especialmente si estás en una cultura distinta a la tuya. Así, la próxima vez que te los encuentres no pasarás tanta vergüenza y ganarás algo de credibilidad como alguien que se esfuerza por adaptarse a su cultura. Confieso que soy horrible para recordar nombres, así que, si quiero recordarlos, tengo que ser intencional. Pero, ¡qué maravilla cuando puedo sorprender a alguien que no espera que recuerde su nombre (o que no recuerda el tuyo) simplemente recordando quién es, estrechándole la mano y diciendo su nombre! Ese gesto demuestra que lo valoro lo suficiente como para recordar quién es y me otorga una credibilidad clave en ese momento inicial de la relación.

Recuerda las conversaciones que has tenido. Tan importante como recordar los nombres de las personas es recordar quiénes son, qué hacen y todo lo que nos han contado mientras conversábamos. Si te han confiado información sobre sí mismos, no la compartas a la ligera. Las relaciones personales son costosas y la mayoría de la gente no da información gratis. Si ven que has usado mal la información que te han dado es poco probable que vuelvan a confiar en ti.

Recordar conversaciones anteriores y darles continuidad preguntando por cosas de las que ya habéis hablado es una de las maneras más fáciles de conversar con un nuevo amigo, sobre todo porque cuando estás empezando a conocer a alguien es normal que haya momentos incómodos. Así que: ¡recuerda! Si es necesario, ten un registro de tus nuevos amigos. Escribe sus nombres, información personal y cualquier cosa pertinente que te contaron la última vez que hablaste con ellos. Si lo haces, puedes preguntarles sobre ello más adelante y demostrar que no te fue indiferente.

Presta atención a tu aspecto. Si te vistes como un extranjero, eso enfatiza las diferencias entre tú y los que te rodean. No pienses que esta diferencia solo se nota si estás en otro país. Eres un extranjero en cualquier cultura que no sea la tuya, no solo cuando cruzas las fronteras. Está claro que hay diferencias culturales entre la vestimenta de un hombre sudamericano y un hombre sudanés; pero también hay diferencias entre un abogado sudamericano y un motero sudamericano. (Estoy basándome en los estereotipos, obviamente. De hecho, conozco a algún abogado que también forma parte de un grupo de moteros).

Extremos aparte, es cierto que las tribus suelen tener un estilo de vestir propio y, en algunas de ellas, el estilo de vestir es lo suficientemente importante como para excluir a quienes no visten así. Algunas diferencias de las que ni siquiera te das cuenta si no prestas mucha atención pueden hacer que aquellos a los que has sido enviado sientan vergüenza si alguien les ve contigo. Eso es un obstáculo enorme para construir una relación personal. Así que esfuérzate por minimizar las diferencias visibles y maximizar las espirituales.

Lo que quieres es que los miembros de la tribu vean algo diferente en las actitudes y el carácter de un creyente, no las diferencias de apariencia entre tu tribu y la de ellos. El llamado de Dios a una nueva cultura puede significar ponerte unos vaqueros que no te quedan como a ti te gustaría o ponerte tu sudadera *oversize* favorita solo para estar en casa. Sé tú mismo, pero sé una versión de ti mismo que tenga en cuenta la cultura que te rodea.

Ser contracultural como creyente no significa ir en contra de la moda local. Significa desarrollar el carácter cristiano aun cuando vives entre personas no cristianas. Moisés enseñó a los israelitas que desarrollar un carácter piadoso de acuerdo con la ley tenía profundas implicaciones misionológicas. El carácter del pueblo de Dios haría que las naciones se asombraran de lo cerca que Dios estaba de ellos y preguntaran: "¿Qué nación hay tan grande que tenga normas y preceptos tan justos, como toda esta ley que hoy os expongo?".[82] Pablo enseñó las mismas ideas a la iglesia. Dijo que los elementos culturales externos como la circuncisión o la comida sacrificada a los ídolos no determinaban quiénes eran y que, por lo tanto, podían abandonarlos o dejarlos a un lado temporalmente por el bien de la misión.[83] Lo que les hacía contraculturales era su carácter, que mostraba el estado de sus corazones.[84] Así, a la hora de vestir debemos ser lo suficientemente sensibles a la cultura a fin de evitar posibles obstáculos para la misión.[85]

Vive entre la gente; vive como la gente. Jesús se acercó a nosotros, como uno de nosotros, para relacionarse con nosotros (Filipenses 2; Hebreos 4:15). Luego, nos envió de la misma manera en la que Él había sido enviado (Juan 20:21). Por tanto, debemos adentrarnos en la cultura de la gente a la que hemos sido enviados. Nos hacemos como uno de ellos y vivimos entre ellos. Sin embargo, tal como Jesús —que se hizo semejante a nosotros y vivió entre nosotros, pero sin pecado—, tampoco nosotros participamos del pecado. Absorbemos las partes de la cultura que nos rodea que no son inherentemente pecaminosas, tales como el idioma, la vestimenta, la dieta y los horarios. Eliminar barreras que te impidan hacer nuevas amistades y hacer las cosas como las personas que te rodean acaba siendo beneficioso porque te permitirá descubrir intereses en común y te hará más interesante a sus ojos.

Herramientas conversacionales

La conversación es una herramienta clave para construir relaciones. Es importante ser capaz de comunicar bien quién eres, así como de entender quiénes son tus nuevos amigos. Hay un sinfín de libros sobre cómo desarrollar relaciones personales. No pretendemos escribir otro más. Sin embargo, hay algunas cosas que debes recordar al entablar una conversación con alguien, especialmente si hablas con esa persona por primera vez.

1. Escucha

Escucha a la otra persona en lugar de solamente esperar tu turno para hablar. Una de las costumbres más perjudiciales y molestas es cuando uno de los participantes no está prestando atención porque está demasiado distraído pensando en lo que dirá a continuación. No hagas eso. Escucha. Implícate. Aunque no puedas decir nada, asegúrate de preocuparte realmente por lo que tu nuevo amigo está diciendo. Si no prestas atención, no recordarás lo que te ha dicho para poder continuar con la conversación más tarde.

2. Presta atención

Recuerda que tu postura y tus respuestas muestran si estás prestando atención o no. Mirar a la televisión que está encendida, dirigir la vista a la gente que pasa por vuestro lado o distraerte mirando el móvil son señales de que no estás prestando atención. Adopta la postura que en esa cultura se usa para transmitir que le estás escuchando. El objetivo es mostrarle que te importa y eso se hace prestando atención.

3. Lee a la persona con la que estás hablando

Si no te está escuchando o prestando atención, deja de hablar. Fíjate en su lenguaje corporal y no fuerces a nadie a que te escuche. Probablemente sabes lo que es que alguien te siga hablando cuando has perdido el interés. Presta mucha atención para que no le hagas tú lo mismo.

4. No hables solo de religión

No todas las conversaciones tienen que ser sobre Jesús. Tus conversaciones con tus otros amigos no siempre lo son, así que haz lo mismo con tus nuevos amigos. Encuentra temas de conversación que os lleven a hablar de la vida, de intereses en común y de la cultura popular. Ve la televisión y películas. Escucha música y lee libros. Busca elementos de verdad en las conversaciones. Está bien no estar de acuerdo, así que no tienes por qué evitar temas delicados o sensibles. Tus opiniones, pensamientos y acciones estarán profundamente influidos por Cristo, así que no te preocupes si solo habláis de eso. No significa que no estás teniendo conversaciones centradas en Jesús. Vuestras conversaciones sobre la familia, la amistad, el trabajo y los anhelos de la sociedad mostrarán el señorío de Cristo en tu vida y se convertirán en puentes naturales para tener conversaciones espirituales más profundas.

5. Sé real

Ser real es un concepto difícil para la gente que no sabe cómo serlo. Sé honesto. Comparte tus pensamientos, luchas, preocupaciones, pasiones, dudas, victorias y fracasos. La gente se identificaba con la humanidad de Jesús, así que también debemos mostrar nuestra humanidad. No mientas y digas que todo va bien si no es así. Al mismo tiempo, no descargues todos sus problemas en una persona que acabas de conocer. Se supone que has ido ahí para servirles. Tu apoyo se encuentra en Cristo y en Su iglesia.

Con propósito

Vivir con una mentalidad misionera no sucede accidentalmente. Requiere intencionalidad, planificación e incluso práctica. Todo lo que haces debería llevar la huella de Jesús. Toma buenas decisiones y déjate guiar por el Espíritu. "Así brille vuestra luz delante de todos, para que ellos puedan ver vuestras buenas obras y alaben a vuestro Padre que está en el cielo" (Mateo 5:16). Curiosamente, el texto no dice: "Diles lo que es correcto, asegúrate de que ven que tú estás haciendo lo correcto y no te olvides de decirles por qué".

Muestra a otros el carácter de Jesús con tus acciones. Vive con ellos y déjales entrar en tu vida. Necesitan verte, oírte, sentirte y experimentarte mientras vives como una luz en medio de ellos. Necesitan verte crecer en tu fe, mientras ellos crecen en la suya. Eres un compañero de viaje en el camino hacia la madurez espiritual. Sé creativo y construye relaciones que provocarán otras relaciones.

Finalmente, comienza con el final en mente. Podemos aplicar esta expresión a muchos ámbitos de la vida, incluyendo la construcción de relaciones. A veces es necesario que las relaciones cambien. Si tenemos amigos que han aceptado a Jesús y están sirviendo entre sus amigos y dentro de su propia cultura, puede llegar el momento en que debemos alejarnos de ellos y de lo que están haciendo para preservar la autoctonía de esa expresión local de la Iglesia. Esto es algo realmente bueno, porque significa que el evangelio se está extendiendo y que la iglesia está creciendo. También puede llegar un momento en que las relaciones no son saludables o incluso se vuelven conflictivas, y debemos tomar la difícil decisión de alejarnos (Lucas 10:10-16). Aunque dar ese paso no es lo que querríamos, a veces es necesario. Por lo tanto, prepárate de antemano para un cambio en las relaciones y ora por sabiduría para enfrentarte con gracia a esos cambios.

La habilidad de construir relaciones, de ser un buen embajador y un buen amigo es una parte necesaria para la labor misionera. Algunas personas han nacido con una habilidad innata para relacionarse con los demás. Otras deben desarrollar esa habilidad. Sea como sea, es una habilidad que no podemos pasar por alto cuando buscamos acercarnos a nuestros vecinos y a las naciones con el evangelio.

IDENTIFICANDO A LAS PERSONAS DE PAZ

[Capítulo 6]

Rodney Calfee

Digamos que necesitas un trabajo y acabas de enterarte de una oferta. Tienes el currículum listo y estás más que cualificado para el puesto. Parece que no habrá problema, pues tienes todo lo que piden. Estás a punto de darle al botón de "enviar" en la página web, cuando de repente recuerdas que la mejor amiga de tu prima es una de las encargadas en esa compañía. Sabes que es muy respetada y que la han ido promocionando, así que una recomendación de ella no vendría mal. Sería mucho más impresionante si ella entregara tu CV a los responsables de RRHH a modo de recomendación personal. Retiras rápidamente el cursor para aprovechar la única cosa que un currículum perfecto nunca podrá superar: el poder del contacto personal.

Enchufe

En español, la palabra utilizada para este tipo de contacto o relación es "enchufe". Todo el mundo sabe que se usa metafóricamente para describir a un "contacto" o una "forma de entrar". Significa que una persona está "moviendo los hilos" en favor de otra, ayudándole a lograr el resultado deseado. Un enchufe es algo bueno. Un trabajo, una relación o cualquier otro sueño que se hace realidad gracias a la ayuda de un contacto personal.

El enchufe también es común en otras culturas. La cultura estadounidense también entiende la importancia de un mediador personal. La razón por la que este concepto resulta familiar es sencilla: las relaciones nos definen. Estamos hechos para vivir en comunidad. "Hagamos al ser humano a nuestra imagen", dijo el que creó todas las cosas (Génesis 1:26). Como Dios ha existido eternamente como un ser relacional, fuimos creados como seres relacionales para disfrutar de las relaciones (Marcos 12:30-31; Juan 17:21-23). Jesús incluso habló del poder de nuestras relaciones a la hora de revelar la verdad del evangelio al mundo (13:34-35; Juan 17:21-23).

La realidad es que la gente quiere relacionarse, y las relaciones que ya tenemos son herramientas poderosas para entablar nuevas relaciones. A menudo las aprovechamos[86] para tener oportunidades que de otro modo no habríamos tenido. Como dice el viejo refrán: "Lo que importa no es lo que sabes, sino a quién conoces".

La gente obtiene información y aprende cosas a través de las relaciones. Aquí tienes algunos ejemplos de cosas que quizá has escuchado o tú mismo has preguntado:

- Un amigo le pregunta a otro: "¿Cómo es la comida en (inserta el nombre de un restaurante)? Estaba pensando en probarlo..."
- En el parque, una madre le comenta a otra: "Necesitamos un nuevo pediatra. ¿Recomendarías al tuyo?"
- Nueva publicación en Facebook: "¿Quién conoce a un buen mecánico? Tengo problemas con el coche..."
- Dos mochileros están hablando de la próxima excursión, y uno le pregunta al otro: "¿Qué tipo de botas de montaña usas?"
- Al ver que el contador del surtidor de gasolina no deja de subir, un joven padre le pregunta a la persona que está en el surtidor de al lado: "¿Estás contento con tu coche? ¿Cuánto te cuesta llenar el depósito?"
- Después de un concierto, un joven le pregunta al guitarrista: "¿Qué tipo de pedal usas?"
- Tuiteo: "¿Qué aplicación de Twitter usas para el iPhone? No me gusta la que tengo"

Técnicamente, toda la información que necesitamos se puede encontrar online, en guías telefónicas, revistas y reseñas de productos, pero preferimos escuchar lo que piensa alguno de nuestros contactos, alguien que conocemos y en quien confiamos. Por ejemplo, hace varios años estaba buscando unas botas de montaña y empecé a leer los comentarios de los usuarios. Como no conocía a las personas que escribían, realmente no sabía si fiarme de sus opiniones. Con ellas en mente, fui a comprar las botas con un amigo que es un excursionista experimentado y sabe los problemas que he tenido con las anteriores. Me probé varios estilos diferentes y terminé comprando unas que los usuarios de una revista de deportes al aire libre no recomendaban demasiado, y lo hice simplemente porque mi amigo me sugirió que me las probara. Eran justo lo que necesitaba.

Como ilustra esta historia, con frecuencia la gente se fía más de las personas que conocen que de la sabiduría convencional. Basándonos en las recomendaciones de otros, estaremos abiertos a algo o a alguien que de otra manera no hubiéramos considerado. Los anunciantes saben que esto es cierto, de ahí todas las caras e historias conocidas en los anuncios y en la publicidad. Quieren que la audiencia pueda identificarse con la gente del anuncio y sus historias y, como resultado, con el producto que están vendiendo. Para ello, apelan al poder de las relaciones personales y las recomendaciones.

Piensa en cosas que has comprado, visto, leído o escuchado, en lugares que has visitado o que te gustaría visitar. ¿Cuánto se debe al testimonio de alguien con quien te identificas, no solo alguien que conoces, sino también alguien que sientes que conoces, como una *celebrity* o un presentador que salen en un anuncio? En el caso de muchos de nosotros, el porcentaje es probablemente bastante alto. Fuimos creados para relacionarnos, y se nota.

Cuando un amigo nos hace una recomendación, le prestamos atención; y las empresas lo saben. Piensa en las ofertas o descuentos que te ofrece tu banco o tu compañía telefónica si les recomiendas a un amigo. A través de esas recomendaciones, nos hacen portavoces de sus productos y servicios. Y funciona porque estamos hechos para relacionarnos, y nuestras relaciones influencian enormemente las decisiones que tomamos.

Lo mismo ocurre con cosas mucho más importantes que los bienes que consumimos, como el calzado que usamos o el coche que conducimos. Las relaciones también determinan qué creemos y en quién creemos. Te fías del mecánico del barrio porque tu cuñado, de quien también te fías, te ha dicho que es de fiar. La vecina te recomendó a su dermatólogo y ahí estás, en su sala de espera haciendo crucigramas. Incluso permites que el compañero de secundaria de tu mejor amigo, que ahora es misionero en Bangladés, comparta con tu familia lo que significa seguir a Jesús, porque te fías de lo que tu amigo te ha dicho de él. Tomas todas estas decisiones en base a la reputación y la recomendación de tus amigos y familiares, y no eres el único.

Persona de paz

Las relaciones son como una divisa, y siempre hay un banquero.[87] Siempre hay alguien que supervisa la transacción, y el intercambio depende de su palabra y reputación. En Lucas 10 encontramos la historia en la que Jesús envía a los setenta (o setenta y dos, dependiendo de la traducción). Los versículos 5-9 dicen lo siguiente:

> En cualquier casa donde entréis, primeramente decid: Paz sea a esta casa. Y si hubiere allí algún hijo de paz, vuestra paz reposará sobre él; y si no, se volverá a vosotros. Y posad en aquella misma casa, comiendo y bebiendo lo que os den; porque el obrero es digno de su salario. No os paséis de casa en casa. En cualquier ciudad donde entréis, y os reciban, comed lo que os pongan delante; y sanad a los enfermos que en ella haya, y decidles: Se ha acercado a vosotros el reino de Dios. (RVR1960)

Gracias a este pasaje entendemos el potente concepto de "persona de paz" en el contexto de la misión. Jesús prescribió la manera en la que Sus seguidores deben acercarse a las comunidades y culturas que no conocen. Su plan era que Sus seguidores fueran a una ciudad determinada y "hablaran de paz" a sus habitantes, esperaran una respuesta y actuaran en consecuencia. Si la respuesta era positiva, el seguidor de Jesús se quedaba en la casa del que había respondido positivamente y trabajaba en la comunidad desde aquella posición ventajosa. Si la respuesta era negativa, debía proclamar que el reino de Dios había estado cerca, y advertir que el rechazo de esa verdad y del reino tenía consecuencias nefastas.[88]

A primera vista, parece una directriz extraña y demasiado simplista. Id a un pueblo lleno de gente que no conocéis y proclamad el mismo mensaje que los ángeles proclamaron en el nacimiento de Cristo: el evangelio, las buenas nuevas de que el reino de paz ya está aquí. Esperad una respuesta y, si encontráis algún hijo de paz, quedaos con él.[89] Comed y bebed lo que os pongan delante. No vayáis de una casa a otra. Quedaos allí y representad bien el reino de Dios dentro de ese hogar. Esa será la casa desde la que haréis vuestro ministerio en esa ciudad.

Jesús sabía que la gente estaba hecha para relacionarse. Después de todo, fue Jesús quien nos hizo así. Por eso aconsejó a Sus discípulos que aprovecharan o usaran la relación con la persona de paz para el avance de la misión. Ya que esta persona era muy importante para Cristo, debemos esforzarnos para entender qué es exactamente una persona de paz y por qué era tan importante.

Thomas Wolf define a la persona de la paz: "'Persona de paz' es un hebraísmo que significa 'uno inclinado a la paz' (Plummer 1909:273). Una persona de paz es alguien o algún grupo preparado por la soberanía de Dios para recibir el evangelio".[90]

La persona de paz ya está preparada, por gracia, a través de la obra del Espíritu, para recibir las buenas nuevas de Jesús. La presencia de esa persona habla de la soberanía de Dios, que ha preparado de antemano a aquellos que serán salvos y ha ablandado los corazones que de otra manera serían corazones duros y cerrados al mensaje del evangelio. También habla de la necesidad de proclamar el evangelio con palabras y con hechos masivamente, ya que no conocemos el plan soberano de Dios y no sabemos a quién ha llamado. De nuevo, palabras del Dr. Wolf:

> Antes de que contactes con esa persona, antes de que la conozcas, antes de que le hables de paz, la persona de paz ya ha sido preparada por Dios: esa persona, a lo largo de su vida ha luchado consigo misma, con el pecado, con la sociedad y con la existencia; y, en medio de esa lucha, Aquel que le ha dado la vida y la sigue sosteniendo ha hablado a su corazón y ha escrito códigos de verdad de tal forma que esa persona, la persona de paz, nacerá de nuevo por la palabra predicada. Y en las circunstancias menos prometedoras, dondequiera que haya una persona de paz, Cristo entrará.[91]

Jesús incluye la enseñanza sobre la persona de paz en medio de una historia mucho más amplia y junto a muchas otras enseñanzas acerca de Su misión y cómo se llevará a cabo. Dos capítulos antes (Lucas 8), Jesús cuenta la historia del sembrador que esparce la semilla de forma amplia, sin hacer distinción entre la buena tierra, la mala tierra, las malas hierbas u otros peligros que impiden que el evangelio eche raíz. Vemos aquí, de nuevo, que nosotros no tenemos conocimiento de quién es llamado por Dios, y que la proclamación masiva del reino es buena y necesaria.

Sin embargo, después de contar la parábola del sembrador, Jesús habla de encender una lámpara y no esconderla, para que quien entre en la casa la vea. Es un enfoque mucho más personal y un enfoque que Jesús mismo enfatizó al enviar a los setenta. Tanto el testimonio masivo como las relaciones personales son importantes para la extensión del mensaje del evangelio. El testimonio más amplio era importante, en parte, porque serviría para encontrar a la persona de paz.

Jesús no nos envía a buscar a la persona de paz. Nos envía a proclamar el evangelio del reino. Entonces, Dios usa nuestra proclamación para mostrarnos a las personas de paz que Él ha preparado de antemano. Si nos centramos en encontrar a la persona de paz, nuestra tarea fácilmente se convertirá en una especie de proyecto, en un proceso selectivo en el que iremos descartando a gente en busca de la persona deseada. Pero Jesús nos enseña que debemos hablar de paz y avanzar de acuerdo a la reacción de los oyentes.

Muchos misioneros se han embarcado en una especie de "búsqueda del tesoro" para hallar a la persona de paz. Han llegado a un nuevo lugar y han ido de persona en persona haciendo alguna pregunta relacionada con la iglesia o la fe, sin hacer un esfuerzo por conocerlas. Preguntarle a una maestra que apenas te conoce si puedes realizar alguna actividad religiosa en su escuela no equivale a hablarle de paz, y a veces puede ser perjudicial para tu reputación y tu causa.

Nuestra idea de lo que significa ser bien recibidos condiciona la manera en que enfocamos este proceso. En Lucas 9, Jesús envía a los doce con instrucciones muy similares a las de Lucas 10. En este pasaje, sin embargo, Jesús les dice a los discípulos que se queden donde son bien recibidos y que no se queden donde no lo son. No dice que el anfitrión decida seguir a Jesús; solo dice que recibe o acoge a los discípulos. Si somos bien recibidos por un pueblo y su gente, es una clara indicación de que Dios está obrando en aquel lugar.

La fe judía, la religión del pueblo al que Cristo envió a Sus discípulos, era bien conocida por la hospitalidad que según las Escrituras debían practicar (Levítico 19:34, Éxodo 12:49). En la historia de Israel vemos muchos ejemplos de esa hospitalidad. En Génesis 18 Abraham acogió con entusiasmo a tres extranjeros; en Génesis 19 Lot se preocupó tanto de sus tres visitantes que incluso ofreció a sus dos hijas vírgenes para protegerlos; en Génesis 24 Labán acogió a un extranjero; en 2 Samuel 17:27-29 David fue recibido y atendido; en 2 Reyes 4 una pareja adinerada construyó un cuarto en su azotea para Eliseo; y en Job 31:32 Job dijo que había sido fiel cuidando al extranjero.

La hospitalidad era una práctica común entre los judíos. Sin embargo, los seguidores de Jesús predicaban algo nuevo, el cumplimiento de las expectativas de los judíos. Predicaban el cumplimiento de un reino que el pueblo de Dios anhelaba. Algunos recibirían el mensaje, y otros serían hostiles a él, tal vez de manera violenta. Era una tarea aterradora, pues tenían que confiar en que su provisión vendría a través de la bondad de otros. Pero también era muy emocionante y un estímulo para su fe, pues algunos respondían al evangelio de paz y sus necesidades eran satisfechas a través de su trabajo como embajadores del reino de Cristo.

La gente, incluso las personas de paz, responderá de manera diferente según el lugar y la cultura. Algunos quizá respondan de forma inmediata, como Cornelio en Hechos 10. Otros quizá precisen algo de persuasión, como los que se unieron a Pablo y Silas en Hechos 17:4. En ciertos contextos culturales puede haber personas que se acerquen a la fe con bastante facilidad y respondan al Espíritu Santo de forma inmediata.

Por otro lado, las personas que Dios está llamando de un contexto poscristiano u otro contexto difícil probablemente necesiten un poco más de contacto personal antes de abrirse a una conversación religiosa. El simple hecho de que estén abiertas a entablar una amistad es motivo de celebración, aunque el proceso sea más lento que con otros.

Jesús no envió a los setenta con la misión de encontrar a unos pocos que serían personas de paz, *per se*. Los envió a representar el reino y a proclamar su mensaje, lo que inevitablemente les llevaría a quienes Dios había preparado, estuvieran cerca o no. Sin embargo, cuando la persona de paz respondía, los discípulos aprovechaban aquella relación al máximo, hasta el punto de que aquella persona y su familia se convertirían en el centro del ministerio en aquella comunidad.

La persona de paz se convertía en una especie de protector del creyente. Hacía de referencia personal, por lo que sus amigos y familiares se fiaban del creyente. Si hemos dicho que las relaciones son como una divisa, la persona de paz se convertía en el banquero de aquella divisa. Si vuelves a mirar Lucas 10 verás que Jesús dijo a los setenta que cuando encontraran a la persona de paz, debían quedarse con ella y aceptar la hospitalidad que les ofrecía (Lucas 10:7-8). Básicamente, debían unirse a la familia, al menos temporalmente; y a través de aquella relación se ganarían la aceptación de la gente de la comunidad (Lucas 10:9).

Encontrar a la persona de paz no es una ciencia. Es algo espiritual. Cuando vamos a predicar, no necesariamente estamos buscando a una persona: estamos buscando un espíritu de paz que reside dentro de una persona, haciéndola receptiva al evangelio. Cuando la encontramos, es una señal divina de que estamos entre la gente a la que Dios nos ha enviado y de que Él ha preparado el camino para que podamos cosechar. Sin embargo, nuestra tendencia hacia lo tangible nos lleva a desarrollar metodologías: la persona de paz tendrá las cualidades A, B, C y D. Y empezamos a buscar las cualidades que creemos que son esenciales en lugar de escuchar al Espíritu y dejar que nos guíe a alguien que ha sido tocado por el Espíritu de paz y está abierto al evangelio.

Por ejemplo, normalmente asumimos que la persona de paz es aquella que tiene muchos contactos. Si para transmitir el evangelio vamos a depender de los contactos que la persona de paz ya tiene, entonces querremos encontrar a alguien con un gran círculo de relaciones. Sin embargo, Jesús solía llamar a los marginados. Los discípulos no eran estrellas precisamente. Sus trabajos eran físicos y no eran conocidos por su intelecto precisamente. Mateo no caía bien a nadie y probablemente todo el mundo le odiaba. Simón era un integrista religioso y probablemente tenía muchos enemigos. Jesús incluso usó a un endemoniado que vivía desnudo, solo y encadenado en un cementerio para llegar a los suyos.

Aquí vemos de nuevo la importancia de la guía del Espíritu en la misión. No debemos confiar solamente en las estrategias hechas por el hombre para descubrir dónde debemos echar raíces y dónde debemos servir. El Espíritu nos llamó; y por tanto el Espíritu es quien nos guía (Gálatas 5:25).

Las características de la persona de paz

Hay tres elementos que caracterizan a la persona de paz: la receptividad, la reputación y la recomendación.[92]

1. Receptividad

La persona de paz responde al evangelio (Lucas 10:6). Como hemos señalado anteriormente, puede ser una respuesta inmediata o no, pero responde. El libro de Hechos muestra que la respuesta puede llegar a través de un proceso de estudio de las Escrituras, de cuestionamiento, debate, discusión, diálogo y persuasión;[93] puede llegar a través de un exorcismo;[94] o puede llegar a través de un milagro o sanación.[95] Esta idea es bastante simple, pero ayuda a definir a la persona de paz. Él o ella es la primera persona dentro de la comunidad o tribu en responder al evangelio y se convierte en el punto de partida o canal para el resto del ministerio en ese lugar.

Nuestro proceso natural de evangelización es sembrar primero y cosechar los frutos después. Sin embargo, la idea de la persona de paz es que Dios de forma soberana ha ido delante de los que Él ha enviado y ya ha preparado el corazón de esa persona. La semilla del evangelio ya ha sido sembrada (Juan 4:38). La persona enviada no va al campo a sembrar, sino a cosechar la persona de paz.

La conversión de Cornelio y su casa (Hechos 10), la conversión de Lidia y su casa (16:14), y la conversión del carcelero de Filipos y su casa (16:30-33) son ejemplos maravillosos de esta idea. Esa gente tenía los corazones abiertos al Señor. Dios había hecho el trabajo. Los apóstoles sólo tenían que entrar en el campo y cosechar. La siembra ya estaba hecha.

Una vez que aparece la persona de paz, su *oikos*[96] —o "casa", incluyendo a la familia extendida, amigos y otros que viven en la casa— siempre abrazaba la fe, y ese lugar se convertía en un punto de entrada al resto de la comunidad (por ejemplo, Pedro se quedó con Cornelio y trabajó desde su casa por algunos días; Lidia abrió su hogar a Pablo y Timoteo: desde allí trabajaron en Filipos y fue así como el carcelero de Filipos se convirtió).

En Lucas 10:2, Jesús dejó claro que "la mies era mucha", y que había trabajo que hacer. La parte que faltaba en la ecuación no eran los que Dios ya había preparado para responder al evangelio; eran los que les llevarían el evangelio. Este capítulo y este libro no son un lugar para defender la doctrina de la elección, pero uno no puede pasar por alto lo que Jesús está diciendo en este versículo: los hay que *sí* responderán. El misionólogo Lesslie Newbigin escribió: "Desde el principio Dios elige, llama y envía a personas concretas. Dios es siempre el iniciador. Las palabras de Jesús a Sus discípulos, 'No me escogisteis vosotros a mí, sino que yo os escogí a vosotros', están en consonancia con toda la Biblia de principio a fin".[97]

Sin embargo, como ya señalamos anteriormente en este capítulo, aquellos que Él envió no sabían quiénes eran o dónde estaban, o cuándo responderían. Por tanto, las palabras de Jesús tenían la intención de animar a Sus seguidores: habría fruto. Algunas personas los recibirían, recibiendo así a Cristo (Lucas 10:16).

Las palabras de Jesús siguen siendo un consuelo y un aliento para nosotros, y lo han sido a través del tiempo para aquellos que han sido enviados en Su nombre. Además, esas mismas palabras son un desafío, pues nos recuerdan que hay trabajo por hacer.

Errores

Hay un par de errores que debemos evitar. El primero es pensar que el fruto —gente que responde al evangelio— es evidencia del llamado y de la fidelidad de quien ha sido enviado. Si así fuera, nos cargaríamos al pobre Jeremías, al igual que a muchos de los profetas cuyas palabras no fueron escuchadas por el pueblo al que fueron enviados. En un sentido, eso incluye a Cristo mismo, quien comenzó su ministerio solo, llegó a miles, tal vez decenas de miles, y sin embargo después de ascender solo reunió a ciento veinte en el aposento alto (Hechos 1:15).

Para ser claros, el trabajo del seguidor de Cristo es simplemente obedecer —ir, ya que Cristo le ha enviado. Llevar a las personas a Dios es algo que solo Él puede hacer (Juan 6:28-29, 44). Obviamente, Jesús contaba con que habría gente que no recibiría el evangelio; de ahí que en Lucas 10:10-11 dé unas instrucciones para cuando esto ocurriera. Vamos en obediencia al llamado de Cristo; Dios da el crecimiento (1 Corintios 3:7).

El segundo error, estrechamente relacionado con el primero, es pensar que la respuesta dicta nuestra estrategia. En otras palabras, vamos solo donde la gente está respondiendo al evangelio. Eso no es lo que Jesús les estaba diciendo a sus seguidores. Les dijo que experimentarían el rechazo e irían a lugares donde la gente no respondería positivamente. Deberíamos saber que eso ocurre.

Como Jesús nos envía bajo la guía del Espíritu, debemos ir a quienes Él nos ha enviado con el mensaje de las buenas nuevas que Él nos ha dado, independientemente de la respuesta de la gente. Matthew Henry escribió: "[Los cristianos] deben mostrar no solo su buena voluntad, sino la buena voluntad de Dios, a quienes han sido enviados, y dejar el asunto y el éxito al que conoce el corazón".[98] Una vez más, la respuesta de la gente no es nuestra responsabilidad. Nuestra obediencia al llamado de Cristo sí lo es. Si no cum-

plimos con nuestra responsabilidad, estaremos desobedeciendo y hasta podemos perder la oportunidad de sembrar donde otros más adelante regarán
y cosecharán (Juan 4:37; 1 Corintios 3:5-9).

Sembrar

He tratado de dar evidencias de que cosecharemos donde no hemos sembrado. Es una idea justificada, ya que Jesús dijo que la cosecha era abundante. Uno no siembra en una cosecha; uno cosecha. Sin embargo, quiero que
quede claro que hay que seguir sembrando. Anteriormente hice referencia
a la historia del sembrador, que es un ejemplo de la enseñanza de Cristo sobre este tema. La existencia de una persona de paz no le quita al creyente su
responsabilidad de sembrar la semilla del evangelio; solo ofrece una plataforma desde la cual hacerlo. Realmente, la persona de paz es un don. Es una
cosecha que no nos ha costado trabajo, pero en su compañía comienza la
obra de sembrar entre sus relaciones (Lucas 10:7-9).

2. Reputación

La persona de paz no es un converso cualquiera. Es una persona con una
cierta reputación, bien conocida por su familia, amigos, vecinos y compañeros de trabajo —su *oikos* (Lucas 10:9). Sin embargo, ten cuidado, porque
no siempre es una persona de buena reputación.

Podría tratarse de una persona de buena reputación, como lo fueron Cornelio, Lidia, el eunuco etíope y otros. Pero piensa en la esclava que tenía un
espíritu de adivinación (Hechos 16:16) o en el endemoniado de Gerasa que
vivía entre los sepulcros. Ya nadie podía atarlo. Pero todos lo conocían. Era
una persona con una mala reputación, y resultó ser una persona de paz.[99]

Los misioneros que llegan a una nueva cultura o comunidad a menudo empiezan intentando encontrar a las personas que están "más cerca" del paso
de fe. Encuentran a los que siguen alguna norma moral y ética que promueve
"la bondad". Buscan a las personas buenas, porque parece que son las más
fáciles de llevar al evangelio. No siempre es así. Dios puede llamar a los
"peores" de entre ellos para mostrar Su poder y gloria. De hecho, Él puede
escoger a los necios para avergonzar a los sabios (1 Corintios 1:27).

Estaba poseído por un demonio

Por ejemplo, veamos el caso del hombre endemoniado de Marcos 5. Jesús
lo liberó del tormento y lo cambió. Como respuesta a eso, el hombre rogó a
Jesús que le dejara acompañarle, pero Jesús se negó. En vez de eso, le dijo
que fuera a su casa y contara su historia —todo lo que Jesús había hecho
por él. Eso es lo que hizo, y todos se maravillaron de sus palabras y de lo que
Jesús le había hecho.

Considera la reacción de la gente de Decápolis antes de que este hombre
regresara a su casa. Le habían rogado a Jesús que abandonara la región (Marcos 5:17). Literalmente le rogaron que se fuera. Sin embargo, después de que
el hombre regresara a su pueblo (un hombre de una reputación horrible,

cambiado por Jesús), compartiera con ellos todo lo que Cristo había hecho y viviera entre ellos, la percepción que la gente tenía de Jesús cambió. Ahora no solo estaban abiertos a Él, sino que le pedían que obrara en medio de ellos.

En Marcos 7:31, Jesús regresó a Decápolis. Los mismos que le habían pedido que se fuera, comenzaron a rogarle que curara a un sordo de su comunidad. Querían que Jesús estuviera allí. La persona de paz les había hablado de la bondad y misericordia de Jesús. Entendían lo que les decía porque habían visto el cambio. Aquel hombre de su comunidad, al que todos conocían y temían, estaba de nuevo en su sano juicio y vivía entre ellos. Lo entendieron gracias a su historia. Él había recibido el evangelio y eso no solo lo había cambiado a él, sino también a su comunidad.

Son personas "malas"

Piensa en las tribus modernas que siguen a una estrella de rock, atleta o actor que tiene una reputación horrible como mujeriego, adicto y fiestero. De repente, Jesús confronta a esa persona y todo cambia. La gente puede ver el cambio drástico. Gracias al cambio que ven en él, sus seguidores también comienzan a enfrentarse a la verdad. La conversión de Saulo es el ejemplo bíblico perfecto de este tipo de influencia (Hechos 9:20-22):

> Y en seguida se dedicó a predicar en las sinagogas, afirmando que Jesús es el Hijo de Dios. Todos los que le oían quedaban asombrados, y preguntaban: "¿No es este el que en Jerusalén perseguía a muerte a los que invocan ese nombre? ¿Y no ha venido aquí para llevárselos presos y entregarlos a los jefes de los sacerdotes?". Pero Saulo cobraba cada vez más fuerza y confundía a los judíos que vivían en Damasco, demostrándoles que Jesús es el Mesías.

Saulo experimentó a Jesús en el camino a Damasco, donde le fueron abiertos los ojos para que viera quién era Jesús. La mala reputación de Saulo le acompañaba; por eso Ananías temía hablar con él como se le había ordenado en una visión (Hechos 9:11-16) y los judíos que le escucharon predicar a Jesús estaban confundidos.

Son personas "buenas"

Existen numerosos ejemplos de cómo cambia un *oikos* debido a la buena reputación de uno de sus miembros. Cornelio, Lidia y el carcelero de Filipos eran muy queridos entre los suyos, quieres se convirtieron de inmediato junto con ellos.[100]

Este es el efecto de la persona de paz. También funciona a menor escala, y no solo con estrellas de rock y gente de mala reputación. No tengo ningún tipo de influencia entre los DJ de la ciudad donde vivo. No es una tribu muy grande, pero ninguno de ellos me conoce. Por lo tanto, no tienen ninguna razón para escucharme o fiarse de lo que yo les diga.

Las cosas cambiarían si pudiera hacerme amigo de uno de ellos, cosechar donde Dios ya ha sembrado y aprovechar mi relación con esta nueva persona de paz para tener credibilidad entre sus amigos. Su reputación entre los suyos es la divisa para ganarme la confianza de su tribu.

3. Recomendación o referencia personal

La persona de paz recomienda el evangelio a las relaciones personales que ya tiene (Lucas 10:7-9). Como hemos visto en los ejemplos anteriores, esas relaciones son un canal para la misión. Cuando nos "quedamos" con ellos y trabajamos desde su posición estratégica, ya nos hemos ganado los oídos de las personas que les escucharían a ellos.

Para entender mejor el concepto de recomendación, podemos examinar la naturaleza comunitaria de los peces. Todos los peces nadan en grupo y son guiados por el que los científicos llaman "pez de referencia". Ese pez es el que indica cuándo hay que dar un giro. Gira y los otros lo siguen.

Así como el banco de peces necesita que uno de ellos gire primero para que los demás puedan seguirlo, los grupos de personas o tribus también necesitan que alguien los guíe, que alguien gire primero.[101] Alguien de fuera rara vez logra influenciar a una tribu entera. Como mucho, será aceptado por la tribu gracias a su relación personal con la persona de paz. Por tanto, la persona de paz es de suma importancia para el misionero en tanto que esta sigue construyendo nuevas relaciones y llevando el evangelio a nuevas personas y lugares, ya sea en su propia ciudad o alrededor del mundo.[102]

Actitud

Cuando vivimos con una mentalidad misionera e iniciamos nuevas relaciones, nuestra actitud es importante. La manera en que nos acercamos a las personas a menudo determina la manera en que responden. El concepto de persona de paz requiere una actitud concreta: una actitud de humildad y vulnerabilidad.

Jesús ordenó a Sus seguidores que fueran a cosechar sin demasiadas provisiones, lo cual les obligaba a depender de la gente a la que habían sido enviados. También les advirtió que encontrarían rechazo. No podían tomárselo como algo personal. Ambos aspectos requerían que dejaran a un lado el orgullo y la autosuficiencia y se acercaran a la gente a la que fueron enviados con humildad y gratitud.

A menudo, la misión se presenta de la siguiente manera: una persona tiene algo que otra persona necesita y se la ofrece como solución a su "problema" y como medio para obtener una plataforma para la proclamación del evangelio. Esto no es algo intrínsecamente malo. El problema está en la actitud del misionero, que puede estar marcada por el orgullo.

Conozco una iglesia estadounidense que se sintió llamada a trabajar en una zona concreta de España. Decidieron que se adentrarían en la cultura ofreciendo campamentos de fútbol para niños. Por supuesto, el fútbol es enormemente importante en España. Allí tienen futbolistas de verdad. Todos los niños en España crecen jugando a ese juego. Aun así, este grupo procedente de Estados Unidos, donde el fútbol no es tan importante, quería enseñar a los niños españoles a jugar a algo que ya les encantaba.

Un sabio misionero aconsejó a la iglesia que se unieran a un campamento de fútbol dirigido por españoles y aprendieran de ellos. Cambiar la forma en que se acercarían a la gente cambiaría su actitud. En vez de ir con todas las respuestas, que muy probablemente habrían echado atrás a los españoles que esperaban conocer, el misionero animó al grupo de la iglesia a rebajar su actitud, lo que probablemente haría que la gente de la que estaban aprendiendo bajase la guardia. Pasarían de tener un aire de orgullo como profesores a uno de humildad como aprendices.

Jesús eligió venir de esta manera. Pablo escribió de Jesús en Filipenses 2 que "se rebajó" y "se humilló hasta la muerte, y muerte de cruz". Cristo vino de la forma más humilde, como un bebé, sin poder valerse por sí mismo. Para sobrevivir, dependía completamente de la hospitalidad de aquellos a los que fue enviado. Algunos lo recibieron bien, pero otros no.

La humildad de Cristo no fue un accidente, sino una elección intencionada, que esperaba que también caracterizara a sus seguidores:

- "No he venido para ser servido, sino para servir" (Mateo 20:28)
- "Los últimos serán primeros, y los primeros, los últimos" (Mateo 20:16)
- "El que quiera hacerse grande entre vosotros deberá ser vuestro servidor" (Mateo 20:26)
- "El que quiera ser primero deberá ser esclavo de los demás" (Mateo 20:27)
- "Toma tu cruz y sígueme" (Mateo 16:24)
- "¿Quién es el más importante? Humíllate como un niño" (Mateo 18:1-4)

En Lucas 10:3-16, Jesús volvió a pedir a sus seguidores que hicieran lo mismo: que se hicieran siervos y se rebajaran para depender de aquellos a quienes habían sido enviados. Acercarse a la gente de esta manera haría que combatir su orgullo pecaminoso natural fuera más fácil. Jesús les dio a sus seguidores un recordatorio constante, pues debían llevar su cruz cada día y caminar con humildad. Las buenas nuevas que ellos ofrecían eran las mismas buenas nuevas que Cristo les había ofrecido a ellos; y no era de ellos, sino el don gratuito de Dios, no por obras, para que no se jactaran (Efesios 2:8).

Cuando seguimos a Jesús en Su misión, debemos cuidar cómo nos acercamos a las personas. La manera en que nos acercamos a menudo determina la manera en que reaccionan. Si queremos encontrar a la persona de paz, debemos acercarnos a ella con humildad, como Cristo nos enseñó con su propio ejemplo.

Persona de buena voluntad

En relación al tema que nos ocupa, existe otro perfil que también resulta muy útil en la misión. Comúnmente, esta persona recibe el nombre de "persona de buena voluntad". En las Escrituras encontramos varios ejemplos, aunque nunca se use esa expresión.

Una persona de buena voluntad es aquella que trata con bondad al seguidor de Cristo porque Dios ha puesto en su corazón al misionero. Puede que solo sea por un tiempo. La característica diferenciadora entre la persona de paz y la persona de buena voluntad es una cuestión de cambio. La persona de paz sí experimenta un cambio de vida, pues pasa de ser alguien que no sigue a Jesús a alguien que sí lo hace. Pero este no es el caso de la persona de buena voluntad.

A lo largo de la Escritura hay momentos en los que Dios usó a personas no creyentes para que Su pueblo pudiera llevar a cabo la misión, sin indicación alguna de que estas llegaran a abrazar la fe. En Esdras 1:2-4, Ciro, el rey pagano de Persia, promulgó un decreto diciendo que Dios le había encargado que le construyera un templo en Jerusalén. Envió a todos los israelitas de su reino de regreso a Jerusalén y ordenó a su propio pueblo que les diera plata y oro, animales y otros bienes, y cualquier otra cosa que pudieran necesitar para el templo. Incluso devolvió todo lo que Nabucodonosor había tomado del templo cuando Babilonia conquistó Jerusalén. Las Escrituras en ningún momento recogen que a partir de ese momento Ciro siguió a Dios. Simplemente fue una vasija de buena voluntad para el pueblo de Dios. Dios usó a un no creyente para llevar a cabo Sus propósitos.

En Esdras 6 y 7, el rey persa Darío promulgó un decreto para que el pueblo de Dios pudiera continuar la reconstrucción del templo y el rey persa Artajerjes dio autoridad a Esdras para reunir al pueblo de Dios, ir a Jerusalén para establecer un sistema de gobierno e instalarse allí, y tomar provisiones del pueblo persa durante el viaje. Esdras adoró al Señor por tocar el corazón del rey pagano (Esdras 7:27-28):

> Bendito sea el SEÑOR, Dios de nuestros antepasados, que puso en el corazón del rey el propósito de honrar el templo del SEÑOR en Jerusalén. Por su infinito amor, él me ha permitido recibir el favor del rey, de sus consejeros y de todos sus funcionarios más importantes. Y porque el SEÑOR mi Dios estaba conmigo, cobré ánimo y reuní a los jefes de Israel para que me acompañaran a Jerusalén.

Dios puso en el corazón de Artajerjes el deseo de ayudar a Nehemías, quien le pidió al rey no solo que le permitiera ir y reconstruir el templo, sino también que les protegiera en el camino y proporcionara los materiales para el proyecto (Nehemías 2:1-8). Ciertamente, la mano del Señor estaba sobre Nehemías (Nehemías 2:8), y una y otra vez usó a personas no creyentes para permitir que Su pueblo obedeciera y cumpliera así los propósitos divinos.

La persona de buena voluntad también puede ser un recurso inestimable para el misionero de hoy. Puede venir en la forma de:

- un empresario no creyente que cede un espacio para que los creyentes se reúnan
- un funcionario de inmigración no creyente que ayuda a un misionero a averiguar qué papeleo necesita hacer para quedarse en el país
- un agente de aduanas que registra el equipaje de un misionero y por alguna razón no ve la maleta llena de Biblias en la camioneta
- un líder político que de repente, y tal vez por un breve periodo de tiempo, rebaja el control de entrada en el país

Luba era estudiante en una prestigiosa universidad de Moscú. Se definía a sí misma como ortodoxa, pero no tenía una relación personal con Jesús. Cuando una familia de misioneros se mudó a la zona, la gente pronto empezó a preguntarles si Luba era parte de su equipo para alcanzar a estudiantes universitarios. Los misioneros se dieron cuenta de que aquella estudiante se había convertido en un imán para su ministerio, pues constantemente animaba a sus compañeros, amigos y parientes a que se relacionaran con ellos. Durante el tiempo que los misioneros estuvieron en Moscú, Luba nunca mostró ningún interés por ir más allá de sus prácticas ortodoxas, y probablemente nunca supo lo útil que fue para el reino ayudando a los misioneros a establecer todas aquellas relaciones personales. Ella no tenía idea de que fue una persona de buena voluntad usada por el Señor para Sus propósitos.

La persona de buena voluntad es importante en la misión de Dios, pero no debe confundirse con la persona de paz. Ten en cuenta que ni Esdras ni Nehemías trataron de convencer a los reyes que los ayudaron de que debían seguir a Dios. Simplemente reconocieron que fue la mano de Dios la que movió los corazones de los reyes (Proverbios 21:1), y continuaron con la misión.

Muchas veces, después de ese encuentro favorable con el agente aduanero o con el funcionario de inmigración, nuestra tendencia es tratar de compartir el evangelio con ellos. Si el Espíritu nos guía a ello, entonces estamos haciendo lo correcto. Sin embargo, puede que Dios simplemente esté dirigiendo al agente según Su voluntad para nuestro bien y Sus propósitos. Es posible que estas personas nunca sigan a Dios ni reconozcan el papel que han tenido en el avance de Su misión.

Isaías profetizó que Ciro sería el rey que liberaría al pueblo de Dios de la cautividad en Babilonia mucho antes de que Ciro ascendiera al trono de Persia. En su profecía, Isaías llamó a Ciro el ungido del Señor (Isaías 45:1). Dios dijo que Ciro era Su pastor y que daría cumplimiento a Sus propósitos (Isaías 44:28). Los israelitas reconocieron la mano de Dios y se marcharon a reconstruir Jerusalén y el templo tal como Dios había ordenado. No regresaron para convencer a Ciro de que siguiera al único Dios verdadero, y no hay nada que nos haga pensar que Ciro se convirtió en un seguidor Dios.

Lo mismo sucede con la persona de buena voluntad. Puede que nunca siga a Dios, pero por Su misericordia, Dios lo usa para Sus propósitos y para nuestro bien.

CÓMO SABER CUÁL ES EL SIGUIENTE PASO

Hemos visto en las Escrituras el principio de la persona de paz, pero los detalles de cómo aplicarlo no están tan claros.

Primero, ante todo, y de forma continua, ¡ora! (1 Tesalonicenses 5:17). Eso es lo que Jesús dice a sus seguidores que hagan cuando los envía a la mies (Lucas 10:2). Les dice que pidan al Señor que envíe obreros a la mies. Dios es quien envía a las personas. También es Dios quien determina cuándo y cómo van. No voy a insistir en este punto, porque ya lo hice en el capítulo sobre la guía del Espíritu; pero en cuanto al principio de la persona de paz, como en todos los aspectos de la vida y la misión cristiana, la oración es esencial.

Encontrar a la persona que Dios ha designado y preparado para recibir el evangelio y a sus mensajeros no es una tarea fácil. Hacer una búsqueda sistemática de las personas de paz no suele dar resultados. Por lo tanto, nuestro acercamiento debe ser menos "estratégico" y más espiritual.

Nuevamente, no sabemos a quiénes ha preparado Dios para nuestra llegada, pero Dios sí lo sabe. Debemos seguir el consejo que encontramos en las Escrituras: simplemente preguntémosle a Dios, quien responde cuando le pedimos.[103] Él nos guiará en respuesta a nuestra oración y hablará por nosotros a medida que avanzamos (Lucas 21:14-15).

En segundo lugar, después de orar o mientras seguimos haciéndolo, nos relacionamos con aquellas personas que Dios pone en nuestro camino. Cuando nos dirija a una persona de paz, viviremos con ella. Eso no significa mudarnos a su casa. Significa compartir la vida, conocer a los suyos y trabajar con las relaciones que ya tienen.

Cuando nos dirige a personas de paz, Dios está despejando el camino para que podamos recomendar el evangelio a través de relaciones ya existentes, relaciones que nos confieren credibilidad. Si no usamos las relaciones que Él nos da por medio de las personas de paz, estaremos esforzándonos por abrir un camino nuevo cuando Él ya nos ha dado un camino despejado. Esas personas son el camino que Dios ha allanado para que podamos llegar a los que están a su alrededor; por lo tanto, nos quedamos con ellas y disfrutamos el regalo divino por medio del cual el evangelio llega a nuevas comunidades.

En tercer lugar, debemos saber cuándo es el momento de marchar. Así como Jesús prescribió que al llegar a una ciudad Sus seguidores debían quedarse si les recibían bien, también prescribió cómo debían marchar de la ciudad que les rechazara (Lucas 10:10-15). Ciertamente habría rechazo, problemas y peligro (Juan 16:33; 17:14). La pregunta no era si tendrían problemas, sino cómo gestionarían los problemas cuando estos llegaran. ¿Se sentirían ofendidos y enojados porque fueron rechazados?

Para enseñarles cómo debían responder en esa situación, Jesús les recordó a Sus seguidores que la gente no les rechazaba a ellos. Ellos eran embajadores que habían sido enviados en nombre de otra persona. La gente no rechazaba a los enviados, sino al que les enviaba, Aquel al que representaban. En realidad, la gente estaba rechazando a Dios.

"El que os escucha a vosotros me escucha a mí; el que os rechaza a vosotros me rechaza a mí; y el que me rechaza a mí rechaza al que me envió" (Lucas 10:16). El castigo tiene sentido. Si rechazas a Dios, Él te rechaza y el juicio será el infierno. Lo que Jesús está diciendo es lo siguiente: o bien encuentras a la persona de paz y moras con ella, o bien aceptas el rechazo definitivo y te marchas de aquel lugar (por ejemplo, Hechos 13:51; 17:1-14; 18:4-11).

Sin embargo, tenemos que ser muy cuidadosos a la hora de marchar. En Lucas 10 no vemos que el modelo sea hacer una presentación rápida del evangelio y marchar si nuestro interlocutor no acepta a Jesús de forma inmediata. De hecho, al leer el Libro de los Hechos, vemos que los primeros cristianos fueron rechazados, encarcelados, golpeados y apedreados, pero regresaban a la misma ciudad y continuaban predicando el mismo evangelio.[104] Aparentemente, la Iglesia primitiva no vio aquellos momentos como un rechazo definitivo, porque regresaban a los lugares y a las personas que los habían maltratado.

Por otro lado, también vemos situaciones en las que era necesario marchar. Uno de estos episodios ocurrió en Antioquía de Pisidia y lo encontramos en Hechos 13. Pablo predicó el evangelio con valentía en la sinagoga un sábado y muchos judíos creyeron. Pidieron a Pablo y a Bernabé que regresasen a la semana siguiente, y así lo hicieron, y la mayor parte de la ciudad se presentó para escuchar el evangelio.

Algunos de los judíos comenzaron a discutir con ellos, así que Pablo dirigió su atención a los gentiles y muchos de ellos creyeron. Aun así, los judíos y otros hombres prominentes echaron a Pablo y a Bernabé de la ciudad. Hechos 13:51 recoge que Pablo y Bernabé "se sacudieron el polvo de los pies en señal de protesta contra la ciudad". Habían cosechado. Alguna gente había creído y sin embargo Pablo y Bernabé se marcharon de aquel lugar. Ninguna de estas situaciones parece concordar con la enseñanza de Jesús de permanecer donde somos bien recibidos y sacudir el polvo de nuestros pies cuando no lo somos, así que en este episodio debe haber un elemento espiritual.

Los discípulos recibieron el Espíritu Santo y fue el Espíritu, a quien Jesús había enviado, quien los guiaba, diciéndoles a dónde ir o no ir y cuándo ir o no ir (Hechos 13:2; 16:6-10; 18:9-11 y otros). De la misma manera, el Espíritu también nos guía a nosotros. Muchas personas prefieren las estrategias donde solo hay blanco o negro. Moverse en zona gris nos provoca cierta tensión. Sería más fácil tener claro cuándo y dónde ir, y poder reflejarlo todo en un gráfico bien elaborado. Pero eso disminuiría la importancia de conocer y escuchar a Dios.

Definitivamente, Jesús nos dio una estrategia: ir a donde somos bien recibidos y marchar de donde no lo somos. La parte difícil es que no siempre sabemos determinar si estamos siendo bien recibidos o si estamos siendo rechazados. La lección que debemos aprender aquí es que la planificación y la estrategia son herramientas importantes y excelentes para la misión.

Sin embargo, debemos estar dispuestos a desviarnos de nuestros planes y estrategias si así nos guía el Señor. Él es quien nos llevará por el camino más natural para llevar el evangelio a una nueva cultura; Él es quien nos llevará a la persona de paz; y Él es quien nos dirá cuándo tenemos que marchar.

INTERACTUANDO CON LAS TRIBUS

[Capítulo 7]

Caleb Crider

En el suburbio de California donde crecí, los grupos sociales no se formaban según el origen étnico o la posición económica. Nuestros grupos sociales eran las típicas pandillas: los deportistas, los pijos, los frikis, los punks, los cowboys y los surfistas (después de todo, estábamos en California). Cada pandilla tenía su propio lugar en el campus durante el almuerzo. Cada grupo tenía su propio estilo, sus lugares de encuentro y su propio idioma. Mi vida era una película de John Hughes.

En la escuela, el tema de las pandillas era más complicado. Los deportistas y surfistas siempre eran los populares, mientras que a los frikis y a los cristianos nos metían en el mismo saco: el de los pringados. Sí, los niños de la iglesia teníamos nuestro propio grupo. Teníamos suerte si los deportistas sabían quiénes éramos. La única manera en que un cristiano podía llegar a ser guay era si lograba convertirse en deportista.

Si tomas el término de forma literal, un deportista habría sido cualquiera que practicaba un deporte. Obviamente, si llegabas a formar parte del equipo eso te daba puntos para entrar en la pandilla, pero muchos de los chicos del equipo todavía tenían que sentarse con los pringados a la hora de la comida. Ser deportista significaba mucho más que ser bueno en algún deporte.

Un deportista llevaba gorras y chaquetas de béisbol para que todos supieran a qué grupo pertenecía. Llamaba a los jugadores de fútbol americano por el apellido y podía citar las estadísticas deportivas que había oído en el programa Sports Center de la cadena ESPN en lugar de hacer los deberes. Era un tipo duro, de los que se metían en peleas y se podían dejar la barba. Normalmente tenía una novia bajo el brazo, un cochazo, y no perdía el tiempo con frikis y perdedores. Un deportista estaba orgulloso de serlo, y se esforzaba por seguir perteneciendo al grupo.

En el instituto usábamos el término "pandilla" o "banda". Los misionólogos usan el término "tribus".

Si vamos a pensar en las misiones, tal vez la observación más importante sea esta: en todas partes, la gente es tribal. Para la mayoría de nosotros, la palabra "tribu" nos recuerda a un grupo primitivo de cazadores y recolectores que vivían en chozas con techos de paja. En este sentido, una tribu es un clan, la familia extendida en la que una persona nace.

Los humanos son seres sociales. El teólogo y profesor Stanley Grenz escribió que la humanidad fue creada para la comunidad.[105] Nos relacionamos con la sociedad asociándonos y relacionándonos con una serie de personas concretas. Estos grupos nos dan un sentido de identidad; nos dan un sentido de quiénes somos. El grupo nos proporciona cosas como protección y apoyo, y a cambio nos pide lo mismo. El ser humano, aislado, languidece. Sin nuestros círculos sociales, tendemos a perder el sentido de quiénes somos.

En su libro de texto sobre comunicación intercultural, el misionólogo David Hesselgrave señaló que en el pasado, las barreras que separaban a las personas eran principalmente físicas: grandes distancias, montañas, mares y cosas por el estilo.[106] Sin embargo, la urbanización está cambiando eso.

En 2008, más de la mitad de la población mundial vivía en centros urbanos.[107] A medida que la humanidad se ha trasladado a las ciudades, hemos ido dejando las estructuras familiares en las que nacimos. Hay muchas razones por las que se ha dado este cambio. La ciudad ofrece oportunidades que no existen en las zonas rurales. La gente que se forma rara vez regresa a los pueblos de donde vienen para trabajar en la granja familiar. Los pequeños apartamentos del centro de la ciudad no tienen espacio para que alguien traiga a toda su familia y el costo de vida en la ciudad puede ser bastante caro. En consecuencia, la familia está perdiendo rápidamente el lugar que tenía como centro de nuestras vidas sociales.

Los habitantes de las ciudades no han dejado de ser tribales, sino que se han adaptado a su realidad urbana. El sociólogo francés Michel Maffesoli introdujo la idea de la tribu urbana en 1985.[108] Su investigación sobre el neotribalismo mostró que, mientras que los grupos sociales rurales normalmente obedecen a sistemas de poder autoritativos, los habitantes de las ciudades obedecen a la influencia de sus pares. En lugar de organizarse en torno a la familia, las tribus modernas son voluntarias y tienden a basarse en la afinidad. La gente escoge sus círculos sociales —aunque sea inconscientemente— para reemplazar los clanes en los que nacieron, pero cumplen las mismas funciones.

Piensa en las pandillas de niños sin hogar de los barrios pobres de la India. Se unen para sobrevivir en las calles cuidándose unos a otros y compartiendo lo que tienen. Para muchos jóvenes africanos, pertenecer a las milicias regionales significa tener esa figura paterna y esa estructura familiar que nunca han tenido. Los adultos hijos de divorciados forman círculos sociales que sirven como terapia de grupo. Los trabajadores que diariamente ponen sus vidas en manos de sus compañeros de trabajo forman vínculos más fuertes que las relaciones de sangre. En todo el mundo, y en todos los niveles, los humanos son cada vez más tribales.

Las tribus modernas

Independientemente del contexto, las tribus son los círculos sociales en los que nos movemos. Una tribu es la unidad social principal a la que pertenece una persona. Una tribu tiene reglas, estructura, liderazgo y objetivos. En las tribus modernas, el grado de unión entre sus miembros puede variar (desde vínculos muy fuertes a una mayor independencia) y cada miembro responde de forma diferente. Las tribus son estructuras complejas.

Las tribus son el lugar donde las personas adquieren su sentido de identidad. Como seres sociales, nos define la gente con la que vamos (o, mejor dicho, la gente con la que queremos ir). Ser miembro de una tribu concreta dice mucho de nosotros: quiénes somos y quiénes no somos. En su libro *Tribes*, Seth Godin explica que una tribu es cualquier grupo de personas que están conectadas entre sí, a un líder y a una idea.[109]

Algunos ejemplos de tribus:

- Los masáis de Kenia y Tanzania
- Los navajos de América del Norte
- Los wólof de Senegal
- Los grupos de las escuelas secundarias
- Los usuarios de Apple
- Los seguidores del locutor de radio Rush Limbaugh
- La Iglesia Católica

Una persona puede pertenecer a uno o varios grupos sociales y cualquiera de ellos tiene la capacidad de darle al individuo un perfil público. Todas las tribus tienen características comunes.

Así como una fraternidad o club universitario tiene un período de iniciación para los aspirantes a pertenecer a dichos grupos, las tribus tienen ritos de iniciación que claramente señalan quién está "dentro" y quién está "fuera". Una tribu con un grado de unión bajo pondrá pocas barreras: para ser usuario de Mac, basta con comprar un MacBook. Sin embargo, para entrar en el Cuerpo de los Marines hace falta pasar por un periodo de formación y asumir un compromiso de cuatro años. Aunque la mayoría de tribus permiten la entrada a cualquiera, algunas tienen un sistema interno para aprobar o no la entrada de nuevos miembros.

Debido a que las tribus son estructuras sociales, cada una tiene sus propias reglas. Las normas sobre cuál es el comportamiento aceptable pueden no ser explícitas, pero todos los miembros las conocen. Una tribu puede tener reglas sobre el noviazgo y el matrimonio, los roles de género o la política. A los miembros de algunas tribus se les prohíbe interactuar con otra tribu. La mayoría de tribus incluso tienen miembros cuya función es hacer cumplir las reglas de la tribu.

El problema de querer llegar a la tribu desde fuera es que no conoces sus reglas. Como la mayoría de tribus no te recibe con un pack de información, lo más seguro es que aprendas las reglas a fuerzas de romperlas. Siempre hay consecuencias por romper las reglas de una tribu, que van desde el bochorno hasta la expulsión o algo peor.

Los miembros de la tribu tienen un lenguaje interno. Las tribus aisladas o cerradas tienen literalmente un idioma propio. En las tribus más abiertas, el lenguaje interno se compone de jerga característica que refleja la cosmovisión del grupo. Por ejemplo, muchos grupos juveniles han adoptado el sarcasmo como su principal medio de expresión. Los nuevos pueden entender un voto de aprobación sarcástico como auténtico. Sin embargo, los que ya están dentro saben que lo que se dice no siempre es lo que se quiere decir.

Otro ejemplo de lengua tribal en los Estados Unidos sería la forma de hablar de los locutores de radio afines al partido conservador. Aunque Sean Hannity no conoce a todos sus radioyentes, siempre los saluda diciendo "You're a Great American" (Eres un buen americano). Los fans de Rush Limbaugh (llamados "ditto-heads"), cuando llaman al programa le desean "mega-dittos" como apoyo a su ideología. La audiencia conservadora usa palabras como *conservador, liberal, gobierno* y *socialista*, pero las usa de manera distinta a cómo las usa la gente del otro lado del espectro político, que también tiene su propio lenguaje interno.

Las implicaciones para la misión son enormes. Si la misión consiste en superar las barreras para la extensión del evangelio por medio de la encarnación, el lenguaje es una de las más difíciles de superar. Para traducir el evangelio al lenguaje de cada cultura, debemos tener en cuenta los patrones únicos de comunicación de cada tribu. El misionero quizá descubra que necesita un modo de comunicación específico para cada grupo. Las personas mayores normalmente valoran la interacción personal, mientras que las tribus jóvenes conectadas a la tecnología prefieren mensajes muy breves. El evangelio no se extenderá si no se comunica adecuadamente.

Las tribus también suelen llevar uniformes. Los estereotipos revelan la importancia de la apariencia: los masáis llevan una tela roja rayada, los hippies llevan el pelo largo y los rastafaris llevan rastas. La gente del campo lleva ropa militar y los chicos de ciudad llevan *tote bags* con mensaje. Los hípsters llevan ropa *vintage* sobre un cuerpo lleno de tatuajes, mientras que los steampunks llevan ropa de estilo victoriano con retoques futuristas. Las mamás de los futbolistas compran en Old Navy. La apariencia física es un símbolo social que ayuda a las personas a expresar su identidad tribal y a reconocer la de los demás. A alguien de fuera le puede parecer que todos los miembros de un mismo grupo visten igual; pero los miembros de ese grupo reconocen los distintos uniformes, que hablan del estatus de cada persona. La gente de negocios lleva trajes caros. Los raperos llevan joyas como señal del éxito obtenido. Los cowboys pueden distinguir unas buenas botas a un kilómetro de distancia. Nunca verás a un *freegano* auténtico comprando ropa nueva. El patio de la escuela se divide entre los que llevan zapatillas de marca y los que llevan zapatillas de imitación.

Ya sea formal o informal, todas las tribus siempre tienen algún tipo de liderazgo. Algunas tribus se construyen en torno a una sola persona, mientras que otras siguen a un grupo de fundadores en busca de guía o inspiración. Otras pueden tener líderes anónimos que prefieren permanecer entre bastidores. Sin liderazgo, las tribus tienden a estancarse, dividirse o desintegrarse por completo.

El liderazgo tribal puede funcionar de formas muy diferentes. Algunas tribus eligen a sus líderes. Otras siguen a quien consideran el más grande entre ellos. Piensa en el mundo culinario: los de fuera suelen seguir a los presentadores de los *realities* de Cooking Channel, pero los de dentro siguen a los "grandes" de la industria. Las estrellas Michelin y los premios James Beard significan mucho para un chef.

El afán de pertenecer

En su libro de 2003, *The Search to Belong*, Joseph Myers esbozó cuatro niveles de pertenencia que todas las personas buscan: público, social, personal e íntimo.[110] Estos espacios, como los llama Myers, satisfacen necesidades profundas. El espacio público es una identificación social abierta y amplia, como ser fan de un equipo concreto o conducir un determinado modelo de coche. El espacio social cubre la necesidad de tener interacciones significativas, como por ejemplo los ratos de conversación con los vecinos, sentados en el porche mientras tomáis algo. Según Myers, el espacio personal es aquel donde se dan interacciones más privadas, como compartir problemas personales o pedir consejo. El último espacio, el íntimo, está reservado a una o dos personas con las que podemos abrirnos sin reservas y ser totalmente transparentes.

Estos cuatro espacios son una buena manera de entender a una tribu desde una perspectiva misionológica. Tiempo atrás, los cuatro espacios estaban cubiertos por la familia. Hoy en día, la gente elige qué comunidades satisfarán sus necesidades. Los equipos deportivos, los clubes, las iglesias y los partidos políticos cumplen una función social cubriendo las necesidades de sus seguidores y miembros.

Cuando era niño, mi familia se mudó del sur de California a la zona de la Bahía de San Francisco. La mudanza a más de seiscientos kilómetros al norte fue un cambio radical para nosotros: dejamos el ambiente relajado, diverso y cálido de la amplia extensión de Los Ángeles por el clima tenso, uniforme y más frío de San Francisco. Desde que tengo memoria, hemos sido fans del equipo de béisbol Los Ángeles Dodgers. Algunos de mis mejores recuerdos son las excursiones a los partidos en el estadio, cerca del centro de Los Ángeles.

Ahora, nos habíamos mudado al territorio de los rivales de los Dodgers: los San Francisco Giants. Mi padre y yo sabíamos que nuestras gorras y camisetas azules de los Dodgers no serían bien vistas en nuestro nuevo hogar, así que tomamos la decisión consciente de cambiar de bando. Para celebrar la ocasión, hicimos como una pequeña ceremonia. Mi padre consiguió entradas para el partido inaugural de la temporada en Candlestick Park, el (entonces) estadio de los Giants. Guardamos nuestras camisetas de los Dodgers para siempre, fuimos al partido, compramos sombreros de los Giants y animamos al equipo local. Así de fácil, nos convertimos en fans de los Giants.

Tal vez no éramos los mejores fans. Quizás deberíamos haber sido fieles a nuestro equipo incluso después de la mudanza. La verdad es que no nos entusiasmaba la idea de cambiar de equipo. Pero ir a aquel partido y comprar aquellas gorras hizo que la Bahía de San Francisco se convirtiera en mi hogar. Simplemente llevando los colores adecuados, habíamos hecho como los camaleones, camuflándonos entre la gente del lugar. En la escuela y en el vecindario, ya no llamaba la atención como al principio. Toda nuestra familia había empezado a hablar de "nosotros" como hacen todos los fans: "Anoche machacamos a los Atlanta Braves. Espero que podamos ganar los próximos tres contra los Chicago Cubs". Convertirnos en fans de los Giants significaba que nos habíamos integrado y nos habíamos identificado con nuestra nueva comunidad.

Cuando decimos que las personas "eligen" su comunidad no significa que estén contentos con la comunidad que tienen. A veces, la gente se queda atrapada en un círculo social que no satisface sus necesidades. Ese es el problema de la mayoría de las estructuras sociales: no están a la altura de las necesidades y expectativas de sus miembros.

Además, cuando hablamos de las tribus escogidas por afinidad no significa que estas sean menos influyentes que las tribus basadas en clanes. En realidad, estos círculos sociales que uno escoge a menudo tienen más influencia sobre nosotros simplemente porque la acción de escoger recae sobre el que hace la elección. Una persona no puede escoger en qué familia nace, pero seleccionar un grupo social y tomarse la molestia de unirse a él significa haber invertido mucho más en esas nuevas relaciones.

La función de una tribu

Las tribus no solo sirven para dar a sus miembros un sentido de identidad. También ayudan al individuo a procesar nueva información. Todos los días nos bombardean con información. La tribu sirve como un filtro para procesar esa información. Por ejemplo, los miembros descubren algo nuevo, como información sobre un próximo evento o sobre un evento social. Luego llevan esa nueva información al grupo, para compartir lo que han aprendido (informando así a todos los demás) y básicamente para preguntar: "¿Qué es lo que creemos acerca de esto?". La pregunta subyacente que cada miembro está haciendo es: "¿Qué creo yo acerca de esto?". La respuesta de la tribu determinará lo que el individuo hace con esa información que acaba de descubrir.

Un buen ejemplo es lo que ocurre online. Las redes sociales proporcionan a los usuarios conexiones virtuales y un flujo constante de datos (en su mayoría triviales). Cada vez que alguien sube un enlace a una caricatura política ingeniosa o un vídeo de un gato que ha aprendido a tejer, básicamente está pensando: "Encontré esto y he pensado que podría ser de interés para la tribu". Cuando a la tribu le gusta el enlace, eso anima al usuario a buscar más información de ese tipo. Pero si obtiene una respuesta negativa (o ninguna respuesta) de sus pares, eso transmite: "Esto no es importante para nosotros".

Muchos misioneros emplean una metodología basada en la proclamación del evangelio uno a uno. Obviamente, esta idea proviene de que la decisión de seguir a Cristo es personal e intransferible. Sin embargo, como personas tribales, nuestra capacidad de procesar individualmente las decisiones importantes de la vida es limitada. Los seres tribales toman muchas de sus decisiones en comunidad.

Narrativas

En el pasado, la información era difícil de conseguir. La gente dependía de los periódicos y de los chismes que corrían por el mercado para enterarse de lo que pasaba en el mundo. Con el conocimiento llegó el poder: quien controlaba el flujo de información controlaba la sociedad. Cuando la información es escasa, es valiosa. Es por eso que nuestros abuelos gastaron cientos de dólares para tener en casa enciclopedias de veinte volúmenes. Encontrar información era una tarea ardua. No hace tanto tiempo, hacer investigación significaba ir a una biblioteca a rebuscar en los catálogos y en las microfichas.

Los tiempos han cambiado. Con la llegada de Internet, pasamos de la escasez de información a tener acceso a cantidades ilimitadas de información en un período de tiempo relativamente corto. Por primera vez en la historia, la información es constante. Estamos abrumados con tanta información por todas partes: Internet, mensajes de texto, televisión, radio, teléfonos móviles, además de la información impresa.

Todos los días nos bombardean con ruido. ¡Compra este coche! ¡Come esos cereales! ¡Ten cuidado con el peligro que merodea justo debajo de la encimera de tu cocina! Dondequiera que vayamos, alguien quiere nuestro tiempo, dinero y lealtad. La Asociación Americana de Marketing define un anuncio publicitario de la siguiente forma: "Cualquier anuncio o mensaje persuasivo colocado en los medios de comunicación en espacio o tiempo comprado o donado por un individuo, compañía u organización". De acuerdo con esta definición, ¡la persona que vive en una ciudad grande está expuesta a unos 5.000 anuncios al día![111]

Lo que la gente necesita ahora no es más información, sino filtros para clasificar la información a la que ya tiene acceso. Información buena versus mala; útil versus hiriente.

En lugar de clasificar la información por su cuenta, la gente busca narradores influyentes que filtren los datos y les ofrezcan una perspectiva completa. Así, vemos el mundo a través de las lentes o la narrativa de personas como los comentaristas de noticias, *celebrities*, autores, locutores de radio, líderes religiosos, políticos y contadores de historias. Algunas tribus tienen narradores locales, mientras que otras dependen de los guardianes que controlan la entrada de información en el grupo.

Los presentadores de televisión pueden ser narradores especialmente influyentes. Cada día durante 25 años, millones de estadounidenses veían el show de Oprah Winfrey, un programa de entrevistas, para escuchar a Oprah hablar de la vida desde su perspectiva. A través de las entrevistas, Oprah sacaba a relucir la humanidad de aquellas historias personales con las que, obviamente, sus televidentes conectaban emocionalmente. El programa trató todos los temas que hay debajo el sol: las relaciones, la organización del hogar, la salud y el bienestar, sin olvidar sus famosas reseñas de libros. Oprah era una narradora. La gente de todo el país dependía de ella para definir qué cuestiones debían importarles y qué debían pensar de aquellas cuestiones.

La mayoría de las veces, las narrativas incluyen perspectivas globales, metatemas como por ejemplo qué es lo que va mal en el mundo, quién es el enemigo, qué haría que el mundo fuera mejor y cuáles son las mejores soluciones. También incluyen elementos que responden a preguntas como las siguientes: ¿Cómo me ve el mundo, y cuáles son mis valores y prioridades? Una narrativa es una historia que explica el lugar de una tribu en el mundo.

Es importante entender la narrativa de la gente a la que ministramos. Es el idioma que hablan, el lenguaje de su cosmovisión. Las tribus se forman alrededor de esas narrativas. En ellas encontramos las preguntas que el evangelio responde directamente: ¿Qué es lo que une a las personas? ¿Qué las motiva? ¿Quién de entre ellas está sufriendo? ¿Cuáles son las influencias espirituales evidentes?

Iglesias en potencia

Podemos caer en la tentación de ver a las tribus como barreras para la extensión del evangelio. Después de todo, si cada grupo social tiene su propia narrativa y para llegar a ellos hace falta un acercamiento específico, claramente no tenemos suficientes misioneros para alcanzar a todos. Pero visto de otro modo, las tribus son algo positivo para la misión. Básicamente, son grupos que se reúnen regularmente, donde sus miembros disfrutan del compañerismo, cuentan historias, se aconsejan, se apoyan y se sirven unos a otros; en fin, grupos que proporcionan a sus miembros un sentido de identidad. Estas características pueden sonarnos familiares porque son el mismo tipo de cosas que esperaríamos encontrar en una iglesia local.[112]

Por supuesto, a menos que los miembros del grupo conozcan a Cristo y se reúnan para Su gloria, una tribu no es una iglesia; al menos aún no lo es. Pero muchas tribus ya tienen la infraestructura, así que solo hace falta que el Espíritu Santo le dé vida. ¡La mayor parte del trabajo de plantación ya está hecho! Las tribus son iglesias esperando ser iglesia.

Debido a que las tribus son iglesias en potencia, cuestionamos la práctica misionera habitual de la extracción. La extracción, según el pensador misional Alan Hirsch, es un método típico de discipulado que saca al nuevo creyente de su entorno social para incorporarlo en la cultura de una iglesia establecida.[113] Por ejemplo, un misionero es claramente un extraño cuando se trata de tribus de no creyentes. Al ser alguien de fuera, comparte el evangelio indiscriminadamente y, por la gracia de Dios, algunos son salvos.

Eso, por supuesto, es algo muy positivo. Pero el siguiente paso es crucial. La mayoría de los misioneros crea un nuevo grupo con los que se han convertido y los considera una nueva iglesia. Entonces, el misionero pasa del modo evangelismo al modo discipulado y comienza a enseñar al grupo de nuevos creyentes cómo hacer una iglesia. Al poco, ese grupo de personas necesita salir y hacer amigos no cristianos. La iglesia organiza seminarios y sesiones de capacitación sobre cómo relacionarse con las personas perdidas. ¿Cuál es el resultado? Una tribu cristiana sintética, producida en masa, que imita a las tribus del mundo. Al final, tenemos un grupo cristiano tan cerrado y exclusivo como los otros grupos.

A corto plazo, este enfoque puede ser efectivo porque surge un nuevo grupo de cristianos. Tiene sentido que queramos alejar a un nuevo creyente de la influencia negativa de su círculo social pagano para enseñarle. Pero si diéramos un paso atrás y consideráramos las tribus en las que vive la gente, veríamos que la extracción destruye los canales por los que el evangelio se podría extender.

En lugar de ver el proceso de conversión y qué significa vivir una vida en Cristo, los otros miembros de la tribu solo ven cómo un extraño se lleva a sus compañeros y los adoctrina enseñándoles una religión y una cultura extraña. La extracción divide, aísla y confunde. En vez de animar a la tribu a considerar como grupo las implicaciones del evangelio para sus vidas, los obliga a procesar las buenas nuevas como individuos, algo para lo que no están preparados. Debido a que la gente es tribal, no deberíamos tener tanta prisa por conectar a todos a una iglesia. Al hacer esto, creamos grupos forzados y raros con poca capacidad para influenciar a sus miembros. Esas nuevas relaciones cristianas empiezan a reemplazar a las naturales —lo cual es, a mi entender, algo negativo.

¿Qué pasaría si, en lugar de ver las estructuras sociales existentes como barreras para la extensión de las buenas nuevas, empezáramos a verlas como líneas directas de comunicación? En lugar de considerar a cada persona de forma individual, podríamos considerarla como representante de una tribu. Así, proclamamos el evangelio a todo un círculo social y discipulamos a grupos enteros. Confiamos que el evangelio permee en la tribu y esté presente en las discusiones y las interacciones de sus miembros. Entonces, el grupo de conversos puede hacerse cargo de comunicar las buenas noticias dentro de la tribu. Ellos pueden mostrar a los demás miembros lo que la vida en Cristo puede significar para gente como ellos.

Soporte vital espiritual

No sacar a los nuevos creyentes de sus círculos sociales tiene serias implicaciones para su formación espiritual. Rodeado de influencias que no honran a Dios, un nuevo discípulo puede tener dificultades para romper con su antigua vida. Es mucho más difícil "quitarse el viejo hombre y ponerse el nuevo" cuando la gente que te rodea prefiere al viejo. Cuando un nuevo discípulo se queda en su antiguo entorno social, es posible que tenga que esperar mucho tiempo para contar con una comunidad cristiana dentro de su propia tribu.

El discipulado parece mucho más eficiente en un ambiente que controlamos.

Puede pasar mucho tiempo hasta que una tribu llegue a la fe. Mientras tanto, podemos ser como un *soporte vital espiritual* para la(s) persona(s) que cree(n) alentándoles, enseñándoles y orando hasta que el cuerpo vuelva a la vida.

El valor de discipular a alguien ahí donde está es tremendo. Los nuevos creyentes aprenden a aplicar su fe a la vida real, un proceso que produce expresiones de iglesia autóctonas. Hacen teología en su propio idioma y la identidad misionera es parte de su ADN. El resultado es una tribu cristianizada equipada para la tarea de la traducción cultural del evangelio. Pueden acercarse y relacionarse sin tener que aprender un nuevo idioma o reglas sociales.

Tribus en el Nuevo Testamento

¿Qué pasa con Jesús? ¿No sacó a los discípulos de sus vidas seculares cuando los llamó para que dejaran sus redes y lo siguieran? Bueno, sí y no. Está claro que el evangelio es un llamado a abandonar por completo la vida tal como la conocemos. Pero seguir a Jesús no significa necesariamente dejar atrás las lealtades e identidades de nuestra vida anterior (Mateo 10:37). Y no significa que debamos desconectarnos de las tribus en las que estábamos cuando el evangelio nos encontró. Los doce discípulos dejaron todo para seguir a Jesús, pero lo siguieron a sus ciudades natales, a la vista de sus amigos y familiares.

A lo largo del Nuevo Testamento, las tribus son clave para la extensión del evangelio. Al encontrarse con Jesús, Andrés fue corriendo en busca de su hermano Simón (Pedro) diciendo: "¡Hemos encontrado al Mesías!" (Juan 1:40-42). Asimismo, Felipe llevó la noticia de Jesús a Natanael, proclamando: "Hemos encontrado a Jesús de Nazaret, el hijo de José, aquel de quien escribió Moisés en la ley, y de quien escribieron los profetas" (Juan 1:44-45). En el Apocalipsis (o revelación), Dios nos muestra a "toda tribu, lengua y nación" ante Su trono al final de los tiempos.[114]

Las traducciones modernas de las Escrituras no usan la palabra "tribus" para referirse a estos grupos sociales. En el griego antiguo, la palabra *oikos* se traduce como "casa" u "hogar", pero tiene el mismo significado que "tribu". El concepto griego de hogar iba mucho más allá de la estructura, el edificio o incluso el núcleo familiar. El hogar era todo lo que pertenecía al grupo social de una persona —familia, familia extendida, empleados, sirvientes—; todo aquel que compartía una vida interdependiente con el resto del grupo.

En su artículo "Oikos Evangelism: The Biblical Pattern", el misionólogo Dr. Thom Wolf escribió acerca de la importancia de la tribu para el pensamiento del siglo I:[115] "Un *oikos* era la unidad fundamental y natural de la sociedad, y comprendía a aquellos que formaban tu esfera de influencia: tu familia, amigos y asociados. E igualmente importante, la iglesia primitiva se extendió a través de 'oikos' —círculos de influencia y relación".

1. Cuando leemos acerca de Zaqueo en Lucas 19, vemos a Jesús invitándose a sí mismo a cenar en la casa del recaudador de impuestos (una estrategia misional fantástica), y enseñando al grupo de amigos de Zaqueo. Jesús se va diciendo: "Hoy ha llegado la salvación a esta casa" (*oikos*, Lucas 19:9).

2. Después de que Leví dejó todo para seguir a Jesús, el recaudador de impuestos organizó un gran banquete para Jesús en su casa e invitó a sus amigos recaudadores de impuestos (Lucas 5:27-32).

3. Un ángel ordenó a Cornelio que buscara a Pedro a fin de escuchar un mensaje "mediante el cual seréis salvos tú y toda tu familia" (*oikos*, Hechos 11:14).

4. En Filipos, Dios abrió el corazón de Lidia al evangelio y, según las Escrituras, "fue bautizada con su familia" (*oikos*, Hechos 16:15).

5. También en Filipos, Pablo dijo al carcelero: "Cree en el Señor Jesús; así tú y tu familia seréis salvos". Entonces le expusieron la palabra del Señor a él y a todos los que estaban en su *oikos*, y el resultado fue que "se alegró mucho junto con toda su familia por haber creído en Dios" (Hechos 16:31).

6. Más adelante leemos que Crispo, el jefe de la sinagoga de Corinto, "creyó en el Señor con toda su familia" (Hechos 18:8). Pablo demuestra lo importante que era el *oikos* para su ministerio cuando en 1 Corintios 1:14-16 menciona el bautismo de Crispo y de toda la familia de Estéfanas.

La palabra *oikos* se menciona tan a menudo en las Escrituras que es fácil ver un patrón: no son solo personas aisladas las que se arrepienten y siguen a Jesús, sino hogares enteros. No sabemos con exactitud cómo ocurrió. Tal vez el líder de cada *oikos* tenía tanta influencia que el resto de los miembros de forma natural siguieron su ejemplo y se convirtieron. O quizá fue el impacto de ver a uno de los suyos respondiendo a Cristo de forma tan radical. El hecho de que Pablo estuvo dispuesto a bautizar a todos los miembros de cada *oikos* deja claro que la conversión de la tribu fue simultánea y genuina.

La influencia de alguien de fuera

Surgen las siguientes preguntas: Como misioneros en nuestro país o en el extranjero, ¿qué se supone que debemos hacer? ¿Tratar de unirnos a una tribu para poder influir en ella o crear una nueva? ¿O podemos predicar el evangelio desde fuera, confiando en que las tribus a las que predicamos lleguen de todos modos a la fe? La respuesta depende de la guía del Espíritu Santo. Algunos misioneros, por la urgencia de la misión, se ven obligados a acercarse a una cultura solo lo justo y necesario para que esa cultura les permita proclamar el evangelio. Otros se sienten llamados a sumergirse completamente en un grupo para poder proclamar y mostrar el reino de Dios.

Debe quedar claro que todos los cristianos somos forasteros. Enviados por el Dios Altísimo, vamos como "embajadores"[116] de Cristo, como ciudadanos de la "familia de Dios",[117] a vivir entre personas "alejadas de Dios y enemigas de Él".[118] Incluso el cristiano que sirve en medio del mismo grupo social durante años, nunca podrá disfrutar de una comunión completa con los incrédulos.[119] Por esa razón, el misionero siempre se ve a sí mismo como alguien que observa, se une y ejerce influencia desde fuera.

Nuestro modelo, por supuesto, es Cristo mismo, que "se rebajó voluntariamente, tomando la naturaleza de siervo y haciéndose semejante a los seres humanos. Y, al manifestarse como hombre, se humilló a sí mismo y se hizo obediente hasta la muerte".[120] La encarnación del Hijo es el ejemplo más elevado de misión: traspasar de forma deliberada las fronteras culturales para traducir el evangelio al contexto de los demás. La encarnación significa ponerse en el lugar de otro para poder comunicar el evangelio.[121]

Como vimos anteriormente en el capítulo titulado "Identificando a las personas de paz", Jesús envió a setenta de Sus seguidores a un viaje misionero de corto plazo diciéndoles que encontraran su lugar en la misión "hablando de paz". La idea era que, si el misionero era bien recibido, debía quedarse allí y concentrar sus esfuerzos en aquel lugar. Es una buena guía para unirse a una tribu, y exactamente la estrategia que Pablo parece haber empleado cuando "se hizo todo para todos, a fin de salvar a algunos".[122]

Unirse a una tribu puede ser muy difícil y llevar mucho tiempo. Implica convertirse en un estudiante de la cultura y exponerse deliberadamente a aquellas cosas que influyen a la tribu. Para integrarte en un *oikos*, debes dejar tus preferencias y comodidades y, hasta cierto punto, dejar atrás gran parte de tu identidad cultural. Significa cambiar deliberadamente tu estilo de vida para identificarte con otros. Para unirte a una tribu, debes leer los libros, ver las películas y usar la ropa que dan forma a la tribu.

Por lo general, a pesar de tus mejores esfuerzos para unirte a una tribu, nunca serás considerado un miembro de pleno derecho. En el mejor de los casos, tendrás suerte si te consideran un "forastero aceptable".[123] La razón es simple: como nuevas criaturas, somos diferentes porque Cristo vive en nosotros.[124] A esto hay que añadir el hecho de que casi todos ya tienen algún tipo de red social: grupo(s) de amigos desde la escuela primaria que tienen una influencia profunda en sus vidas. La mayoría de la gente no anda por ahí buscando amigos, especialmente entre personas que claramente son de fuera de su tribu. Saber que, hasta cierto punto, siempre serás un forastero debe moldear tu enfoque de la misión.

Debido a que la gente es tribal, los misioneros suelen centrarse en ministerios que facilitan la formación de grupos. Muchos misioneros quieren formar nuevos grupos en torno a su persona. Es como si el misionero pensara lo siguiente: "Si a pesar de todos los esfuerzos aún no he logrado unirme a una tribu, más vale que comience una nueva". Así, muchos esfuerzos misioneros empiezan entre las personas que no tienen vínculos sociales. Cuando una persona se traslada a otro lugar, la primera cosa que hace es tratar de encontrar/formar una tribu. Ser parte de una comunidad está en la naturaleza humana; sin embargo, nuestra experiencia es que no todo el mundo tiene un *oikos*. Los extranjeros, los forasteros y los recién llegados a una ciudad pueden estar bastante desconectados por el hecho de no tener un *oikos*.

Jesús mismo creó una especie de *oikos* al reclutar a un grupo bien heterogéneo formado por pescadores, recaudadores de impuestos y separatistas. Formar grupos no siempre es mala idea, pero crear tribus nuevas puede tener sus desventajas. La creación de nuevas tribus puede destruir la red social existente sacando a la gente de los círculos a los que pertenecen. La estrategia misionera debe reconocer que es probable que la gente ya esté agrupada: como amigos desde la escuela primaria, vecinos, socios empresariales, familias extendidas y personas con intereses comunes. Estas conexiones son demasiado valiosas para perderlas simplemente porque facilitan el trabajo del misionero.

Otra opción es guiar a una tribu indirectamente por medio del "pastoreo desde la sombra". Eso significa influir de forma constante enseñando a algunos miembros de la tribu qué es lo que la Biblia dice, y luego animándolos a preguntarse unos a otros: "¿Cómo podemos aplicarlo a nuestro propio contexto tribal?". La idea es que el misionero nunca tiene ningún tipo de autoridad sobre el grupo y puede que nunca se reúna con todo el grupo. En vez de eso, deliberadamente permanece en la sombra, enseñando, desafiando, advirtiendo y animando al grupo a mirar a Cristo.

Cuando un *oikos* se convierte en iglesia

Llevábamos en España poco más de un año cuando empezamos a estudiar la Biblia con un pequeño grupo de amigos españoles (creyentes y no creyentes) que nos habían invitado a entrar en su tribu. Alrededor de seis meses después, empezamos a reunirnos como una iglesia en casa. Recuerdo nuestra primera reunión como si fuera ayer. Mi mujer y yo estábamos nerviosos, aunque habíamos tenido a aquellos amigos en nuestra casa docenas de veces.

Como yo había crecido en la iglesia, sabía lo aburrida e irrelevante que podía llegar a ser. Conscientes de que aquello podía recordarles a las experiencias negativas que muchos españoles han tenido en la Iglesia Católica, habíamos decidido hacerlo todo muy sencillo. Planeé una breve presentación del evangelio y una oración. Mi mujer, que apenas estaba aprendiendo a tocar la guitarra, se preparó para que pudiéramos cantar una o dos canciones de alabanza.

Llegaron nuestros amigos y durante los primeros treinta minutos todo fue normal. Hablamos de política, religión, acontecimientos recientes y deportes. Entonces, llegó la hora de comenzar nuestro servicio de adoración. Me aclaré la garganta y abrí la Biblia. La conversación se detuvo y se hizo un silencio incómodo.

A toda prisa compartí lo que había preparado y traducido al español cuidadosamente. Mirando atrás, estoy seguro de que dije: "Cristo murió por nuestro pescado" en lugar de "Cristo murió por nuestro pecado". Nuestros amigos escucharon respetuosamente, pero fue evidente que algo había cambiado. Un aire de formalidad lo envolvió todo, como cuando un amigo intenta vender productos de Amway en una fiesta.

Luego mi mujer y yo cantamos. Por supuesto, nuestra intención era que todo el grupo cantara y por eso habíamos impreso la letra para todos. Pero fue como si estuviéramos dando un espectáculo para nuestros amigos. No estábamos cantando con ellos, sino para ellos. Mi mujer tocó torpemente (¡pero sonó bien!). Yo hice todo lo que pude para sacar mi voz de barítono. Es difícil ocultar que no tienes oído cuando sois seis personas en la sala de estar de un pequeño piso español. Fue humillante.

Inmediatamente después de cantar la última estrofa, hice una oración rápida. De forma instintiva todos repitieron "amén" y acto seguido nos aplaudieron. Aplaudieron como los padres de la escuela primaria después de una obra de teatro.

A pesar de nuestros mejores esfuerzos por hacer algo sencillo, habíamos arruinado el ambiente informal —aunque lleno de conversaciones significativas— que siempre habíamos disfrutado con nuestros amigos. Aunque nuestro "servicio" había sido informal, todavía era demasiado formal para que la tribu lo viviera como algo natural. Habíamos impuesto a nuestros amigos una forma extranjera de adoración y ellos no sabían qué hacer con aquello.

Nos enfrentamos a una decisión: continuar realizando este tipo de servicio religioso hasta que aprendieran a adorar así, o estudiar con ellos los pasajes bíblicos que hablan de la *ekklesia* y dejar que ellos decidieran cómo aplicarlo a la cultura de su tribu. Fue en esa época cuando nos topamos con 1 Corintios 14:26: "¿Qué concluimos, hermanos? Que, cuando os reunáis, cada uno puede tener un himno, una enseñanza, una revelación, un mensaje en lenguas o una interpretación. Todo esto debe hacerse para la edificación de la iglesia".

Este versículo fue una muy buena noticia para nuestra joven iglesia. Significaba que podíamos seguir haciendo lo que la tribu había estado haciendo durante años —reunirnos regularmente para animarnos unos a otros y procesar información nueva— pero ahora con Cristo como motivación. La próxima vez que nos reunimos para adorar a Dios juntos, todos vinieron preparados con algo para edificar a la iglesia. Algunos trajeron un versículo o pasaje de las Escrituras mientras que otros trajeron un tema de discusión o una pregunta para que reflexionáramos en ella. Uno hizo una lista de cosas por las que nuestro grupo podría orar. Dos de los hombres habían preparado una enseñanza, las mujeres habían escogido algunas canciones. Todos trajeron algo y el resultado fue un tiempo equilibrado de adoración en el que todos participamos de acuerdo a nuestros dones.

CÓMO IDENTIFICAR TRIBUS

Para identificar las tribus de un pueblo o una ciudad es necesario observar e interactuar con las personas. Para organizar esas observaciones, es útil utilizar los cuatro espacios de pertenencia de Myers: público, social, personal e íntimo.[125] Los niveles menos personales de pertenencia, el público y el social, se pueden identificar fácilmente a través de la observación. Sin embargo, los niveles personal e íntimo solo pueden identificarse a través de entrevistas y conversaciones.

1. Las tribus del espacio público suelen expresarse abiertamente

Hacerse miembro de estas tribus suele ser sencillo y el nivel de conectividad social que proporcionan es superficial, aunque importante. Los propietarios de motos Harley-Davidson pueden tener experiencias similares, pero conducir la misma marca de moto no significa que realmente se conozcan entre sí. Sin embargo, los entusiastas se suelen identificar como conductores de Harley. Averigua la forma en que las personas se identifican a sí mismas, ya sea como fans, aficionados o miembros:

- ☐ equipos deportivos (los New York Giants, los Atlanta Braves, el Manchester United)
- ☐ usuarios de productos (usuarios de Apple, propietarios de un Jeep Wrangler, consumidores de Ralph Lauren)
- ☐ partidos políticos/activistas (Free Tibet, la Convención Nacional Republicana, Sierra Club, PETA)

La mayoría de estas afinidades se pueden detectar mediante la observación. Se puede obtener más información haciendo preguntas abiertas e inquisitivas: "¿Por qué esta persona desea expresar públicamente su conexión con esta tribu?".

2. Las conexiones del espacio social suelen tener un significado más específico para la identidad tribal de una persona

Los miembros se conectan en función de quiénes quieren ser y cómo quieren que sus pares los vean. Fíjate con qué se identifican las personas:

- ☐ ciudad/vecindario de residencia (urbanización, distrito o ubicación)
- ☐ afinidad subcultural (estilo de vestir, hábitos de consumo, influencia mediática)
- ☐ trayectoria profesional/universidades a las que asistió (posición laboral, sector, área de estudio)
- ☐ clubes/actividades sociales (fraternidades, comités, asociaciones)

Estas conexiones tribales requieren cierto nivel de interpretación. Por ejemplo, una persona puede prestar especial atención a la forma en que se viste para esconder —en lugar de revelar— su pertenencia a ciertas tribus. Busca en las conversaciones referencias a este nivel de conexiones.

3. Las relaciones en el espacio personal son el equivalente moderno de la tribu social

En este espacio la gente procesa información nueva, desarrolla su cosmovisión y busca ser comunidad. La mayoría de las veces, estos grupos son el principal nivel de interacción social a lo largo de la semana.

- ☐ Un pequeño grupo de amigos cercanos (8-16 personas)
- ☐ Compañeros de trabajo
- ☐ Familia extendida
- ☐ Contactos regulares a través de Facebook, Twitter

¿Cómo responden los otros miembros de la tribu a estas personas? ¿Guían o son de las que siguen a los demás? ¿Ejercen influencia trayendo ideas de fuera de la tribu, o tienden a defender y mantener el *status quo* de la tribu?

4. El espacio íntimo tan solo lo ocupan una o dos personas y pueden ser muy difíciles de identificar

Estas *oikos* son "hogares" en su sentido más estricto:

- ☐ Cónyuges
- ☐ Parejas
- ☐ Mejores amigos

Este nivel de pertenencia puede ser el más influyente en las decisiones más importantes de la vida de una persona. Observa a quién recurre la persona cuando se enfrenta a acontecimientos y experiencias que trastocan la vida. Ten en cuenta que la desvalorización del matrimonio como institución y la práctica común de las relaciones románticas esporádicas hacen cada vez más probable que el cónyuge/pareja de una persona no llene este espacio.

CÓMO UNIRSE A UNA TRIBU

1. Estudia las influencias

Exponte a cualquier cosa que influya a la tribu. Este tipo de exposición inten-cional, deliberada y acompañada de oración se conoce como investigación a través de la inmersión. Lee los libros, ve las películas y recurre a las fuentes de noticias e información locales. El objetivo es empezar a entender por qué la tribu piensa como piensa.

No lo hagas solo y mantente en guardia. Sería una tontería asumir que de alguna manera eres inmune a los efectos de las influencias que estás es-tudiando. Las cosas que influyen a la tribu están llenas de mentiras y medias verdades. Ten cuidado con los efectos dañinos, y a menudo subliminales, de cosas como la música, las películas y las historias. No obstante, ¡no tengas miedo de involucrarte en la tribu porque has sido enviado por el Dios Altísi-mo!

2. Adopta el ritmo

Para poder vivir el evangelio con palabras y hechos en medio de un grupo particular de personas, debes hacer todo lo posible por vivir como ellos viv-en. Y lo haces adoptando sus "ritmos" de vida. Los ritmos son las rutinas, las costumbres que forman parte del calendario. Esto incluye:

- ☐ Dieta y horarios de las comidas
- ☐ Horarios para dormir
- ☐ Horas de trabajo, horas de descanso
- ☐ Vacaciones
- ☐ Días festivos, festivales, celebraciones
- ☐ Ritmo de vida y de actividades
- ☐ Actitudes sociales, señales de respeto

☐ Identificación económica

Ten en cuenta que hay una clara distinción entre ritmo y estilo de vida. El estilo de vida de los no creyentes, por definición, no está centrado en Cristo ni en honrar a Dios. Vivir para lo que ellos viven o adorar lo que ellos adoran sería comprometer tu fe. En vez de eso, rechaza aquello que no honra a Dios pero adopta intencionalmente las costumbres de la tribu para que sus miembros puedan ver en ti un ejemplo de cómo serían sus vidas si las entregaran a Cristo.

3. Aprende la narrativa

Sumergiéndote en la cultura y los ritmos de una tribu podrás empezar a ver las diferentes partes de su narrativa. Los temas importantes estarán entretejidos en las ceremonias y rituales; a medida que los vayas conociendo irás viendo la historia que da forma a la mentalidad de la tribu. Encontrarás puentes y barreras para la transmisión del evangelio. En la narrativa, verás de qué formas la tribu está intentando reconciliarse con el Creador. Entonces, podrás empezar a entender en qué sentido el evangelio es buenas noticias para esa tribu en particular.

CONTEXTUALIZACIÓN

[Capítulo 8]

Caleb Crider

Si do ta thërrasin, pra, atë, të cilit nuk i besuan? Dhe si do të besojnë tek ai për të cilin nuk kanë dëgjuar? Dhe si do të dëgjojnë, kur s'ka kush predikon? Dhe si do të predikojnë pa qenë dërguar? Siç është shkruar: "Sa të bukura janë këmbët e atyre që shpallin paqen, që shpallin lajme të mira![126]

A menos que hables albanés, el texto de arriba probablemente no signifique nada para ti. Lo más probable es que hayas saltado directamente a este párrafo, escrito en castellano, lengua que obviamente puedes leer y entender. Desafortunadamente, el párrafo escrito en albanés es un mensaje para ti.[127]

Pero tenemos un problema. ¿Te he entregado el mensaje? Sí. He empezado el capítulo incluyendo el contenido de dicho mensaje. Sin embargo, es necesario hacer algo para que realmente haya comunicación: traducirlo. Para que puedas entender el mensaje, debo presentártelo en un idioma que conozcas. Entonces sí será razonable esperar que entiendas el mensaje, lo consideres y respondas a él.

Toda comunicación requiere algún esfuerzo, pero mayormente lo hacemos de forma inconsciente. Por ejemplo, quiero invitar a mis vecinos a una parrillada. Tengo que pensar cuál es la mejor forma de hacerles llegar ese mensaje. ¿Dejo una nota en su puerta? ¿Llamo? ¿Envío un correo electrónico? ¿Un mensaje de WhatsApp? ¿Qué tal si se lo digo en persona, como solíamos hacer antaño? Por lo general, no dedicamos demasiado tiempo a elegir el canal de comunicación porque estamos moviéndonos dentro de nuestra propia cultura. Sabemos, más o menos, cómo piensan nuestros vecinos.

Sin embargo, el proceso de comunicación no termina ahí. Independientemente de cómo decida hacerles llegar la invitación, tengo que redactar el mensaje de forma clara. Sabemos que una invitación debe incluir lo básico, como a qué les invitamos, dónde será y cuándo. Sin esa información, una invitación es bastante inútil. La mayoría de las veces, no tenemos que pensarlo demasiado. Ya sabemos que esos son los detalles que tenemos que compartir.

Aunque, si tuviéramos que explicar cómo es el proceso de invitar a alguien a una parrillada, veríamos que hay varios pasos de los que quizás ni siquiera somos conscientes. ¿Qué dice sobre el mensaje el canal que hemos escogido? ¿Sería inapropiado enviar a unos tunos a las casas de los invitados para que anunciaran cantando la celebración de nuestra próxima parrillada? Si envío un correo electrónico, ¿escribo el mismo mensaje para todos o escribo una invitación personal para cada destinatario? Si decido visitar a mis vecinos personalmente, ¿cuándo voy (¿a media noche?), qué me pongo (¿el albornoz?), y con qué tono de voz hablo (¿grito como si estuviera enfadado?)? Si lo piensas, damos muchos pasos incluso para comunicar hasta el más simple de los mensajes. Cuanto más importante es el mensaje, más atención le dedicamos a la comunicación del mismo. Comunicar un mensaje importante cuando hay barreras culturales requerirá que pensemos en cada paso del proceso.

Traducción cultural

La contextualización es la traducción del evangelio de una cultura a otra. Nuestra tarea no es simplemente convertir las buenas nuevas en un lenguaje apropiado para nuestros oyentes, sino interpretar el mensaje del reino para otras culturas con palabras y hechos. El misionólogo Charles R. Taber dio esta definición: "La contextualización es el esfuerzo por comprender y tomar en serio el contexto de cada grupo y persona en sus propios términos y en todas sus dimensiones —cultural, religiosa, social, política, económica— y discernir qué dice el evangelio a la gente en ese contexto".[128] No basta con difundir la información que encontramos en el evangelio; también debemos mostrar a quienes hemos sido enviados qué significaría en la práctica ser salvos por Cristo.

Por el bien de la misión, la contextualización implicará ajustar la forma en que comunicamos el evangelio para que la gente no tenga que unirse a una nueva cultura para poder escuchar y entender el mensaje. Es por eso que Jesús dijo "Id y haced discípulos de todas las naciones"[129] en lugar de decir "Id y enseñad a las naciones a ser judíos del siglo I, que hablan griego y viven bajo el dominio de los romanos". Por esa misma razón, Pablo se "hizo todo para todos, a fin de salvar a algunos por todos los medios posibles".[130] Nuestra misión no es exportar una cultura, sino infectar[131] a las culturas existentes con lo que siempre resulta ser un evangelio radicalmente contracultural.

Algunos se preguntarán por qué no "descontextualizamos" el evangelio, es decir, lo depuramos de nuestros prejuicios culturales para obtener un producto puro y acultural. Pero el evangelio no puede ser interpretado fuera de la cultura. No hay una expresión acultural del cristianismo. Un evangelio sin cultura sería como desarrollar un lenguaje sin palabras, símbolos o signos. La cultura nos proporciona las herramientas —como el lenguaje, la lógica, las relaciones y las experiencias— que nos permiten conocer a Dios y seguirlo en comunidad. Es por eso que Cristo entró en la cultura para mostrar el amor y la provisión de Dios para la humanidad. A eso lo llamamos encarnación: dar cuerpo al mensaje. El Hijo no fue el único que encarnó las buenas noticias. Como cuerpo de Cristo, nosotros —la iglesia— debemos hacer lo mismo dondequiera que estemos. El misionólogo David Bosch insistió: "Si tomamos en serio la encarnación, el Verbo [o la Palabra] debe hacerse carne en cada contexto".[132]

Dios se glorifica en la diversidad de las culturas humanas. Este es un tema recurrente en toda la Escritura, y podemos ver la gloria de Dios en la diversidad cuando leemos Génesis 11 y 12. En Génesis 11 vemos que la humanidad se había unido para construir una torre con el objetivo de hacerse un nombre. Dios intervino confundiendo su lenguaje, creando así muchas culturas. Las esparció por toda la faz de la tierra, distanciando y separando a los seres humanos de los de su propia especie. En la debilidad humana, el poder de Dios se perfecciona.[133] Dios demostró su grandeza y poder sobre la humanidad al dividirla en distintas culturas.

Dios no dejó a aquellas naciones nuevas sin esperanza. En Génesis 12 leemos acerca del pacto de Dios con Abraham para bendecir a todos los pueblos de la tierra a través de él. Aquí, Dios revela un poco más acerca de Su plan; así como Él dispersó al ser humano por toda la faz de la tierra, un día reuniría a Su pueblo y lo enviaría a las naciones dispersas y sin esperanza. Cada vez que Dios interactúa con la humanidad lo hace para que las naciones puedan ver Su poder y provisión. La revelación de Dios a Juan muestra el final de la historia: una multitud de toda tribu, lengua y nación reunida alrededor del trono para adorar al Dios Altísimo.[134] Además, Dios dejó en la memoria colectiva de las diferentes culturas indicios de Su provisión. Como leemos en Romanos 1, la humanidad conocía a Dios, pero voluntariamente cambió la gloria del Dios inmortal por los ídolos.[135] Aun así, en las personas de todas las naciones quedó esa sensación de que algo ha ido terriblemente mal. En todas partes las personas luchan con temas profundos como la justicia, el sentido de la vida, la esperanza, la belleza y el amor. El anhelo de libertad, paz y propósito —conocer al Creador y ser conocido por Él— es una muestra más de que Dios ama a las naciones. La contextualización es nuestra parte en la redención de la humanidad a través de las culturas que Él creó.

El debate sobre la contextualización

Si bien la contextualización es básica para la misionología, ha sido tema de debate apasionado en el mundo de las misiones durante generaciones. Prácticamente nadie defiende que no deberíamos contextualizar, pero existe un gran debate en torno al grado en que deberíamos adaptarnos a las costumbres y culturas. Algunos misionólogos afirman que la contextualización puede fácilmente distraer la atención de la proclamación valiente del evangelio. Otros argumentan que la contextualización es central para la misión, que nuestro trabajo como embajadores de Cristo a las naciones es superar todas las barreras culturales para el evangelio.

No se trata solo de un debate académico; tiene serias implicaciones para el trabajo diario del misionero en cualquier campo. Los misioneros que no hacen de la contextualización una prioridad pasan mucho menos tiempo aprendiendo idiomas o adoptando costumbres locales. Los misioneros que valoran la contextualización, por otro lado, suelen comenzar sus ministerios haciendo mucha investigación y dedicando tiempo a construir relaciones con las gentes de su nuevo hogar. Hombres y mujeres de Dios de todo el mundo, inteligentes y entregados a la obra, han adoptado acercamientos muy diferentes a la contextualización.

Quiero dejar algo claro: la contextualización no es un intento de "diluir" el evangelio para la comodidad de los oyentes. El objetivo de la contextualización es la claridad. No queremos que nuestros métodos descuidados para presentar el evangelio oculten la ofensa o la esperanza de nuestro mensaje. Nuestro mensaje, un llamado al arrepentimiento y la obediencia al Señor Jesucristo, no cambia. Sin embargo, la forma en que comunicamos ese mensaje requiere un poco de creatividad, comprensión y esfuerzo por nuestra parte.

Algunos pueden malinterpretar la llamada a la contextualización como la búsqueda de la "manera correcta" de presentar el evangelio. Afortunadamente, el poder del evangelio no depende de la presentación que hagamos de él. La gente no nos necesita a nosotros; ¡necesita a Cristo! Constantemente buscamos a tientas maneras apropiadas de hacer discípulos, pero en última instancia, descansamos en el hecho de que Cristo va con nosotros. No hay una sola "manera correcta" de presentar las buenas noticias. Nuestro amor por la gente, nuestra paciencia y presencia apuntarán al Creador que habla su idioma y los ve allí donde están.

Esa es la razón por la que Jesús respondió de forma distinta a sus oyentes o interlocutores. A veces hablaba en parábolas para que algunos de los que estaban escuchando no entendieran Su mensaje.[136] A Nicodemo le dijo que tenía que "nacer de nuevo" para poder ver el reino de Dios.[137] Jesús le dijo al joven rico: "Anda, vende todo lo que tienes y dáselo a los pobres, y tendrás tesoro en el cielo".[138] Al contextualizar el evangelio, Jesús no estaba poniéndoselo fácil para que el hombre decidiera seguirlo, sino que estaba poniéndoselo fácil para que entendiera el coste.

Sobrecontextualización e infracontextualización

El debate sobre la contextualización no se centra en si debemos ponerla en práctica o no, sino hasta qué punto debemos contextualizar. Para ilustrar las diferentes perspectivas del debate, el profesor de misiones del Seminario Teológico Fuller, Dean Gilliland, sugiere que los diferentes acercamientos misioneros a la contextualización pueden colocarse sobre una línea continua. En un extremo, tenemos a aquellos que infracontextualizan; oscurecen el mensaje porque no hacen lo suficiente para que el evangelio se comunique claramente en cada cultura. En el otro extremo están los que van demasiado lejos y hacen que el mensaje suene tan familiar que la gente simplemente le añade a su paganismo una fachada cristiana.[139] Eso se llama "sincretismo" y lo vemos en culturas que simplemente cambian el nombre de sus ídolos por nombres cristianos.

El sincretismo es un problema muy real en el campo misionero a nivel mundial. Cuando la gente adopta el cristianismo sin abandonar a sus ídolos, el evangelio se diluye. Muchas de las famosas malinterpretaciones del mensaje tienen su origen en una contextualización pobre. Tomemos, por ejemplo, el descubrimiento y la conquista del Nuevo Mundo hace 500 años. Los reyes y la Iglesia enviaron a sus exploradores para reclamar nuevos territorios para "Dios y la patria".

Los exploradores desembarcaron en Las Américas con dos imágenes religiosas a modo de ayuda visual para explicar la autoridad divina bajo la que navegaban.[140] Para ilustrar el milagro de la encarnación llevaban un cuadro de un belén: el niño Jesús en un pesebre al cuidado de Su madre María. Y para ilustrar la *Pietá* (los acontecimientos que tuvieron lugar justo después de la crucifixión de Cristo), mostraban a María llorando sobre el cuerpo sin vida de Jesús. La combinación de aquellos "misioneros" armados y poderosos que llevaban dos imágenes de una mujer poderosa al cuidado de su hijo necesitado e indefenso, a los nativos americanos les recordó a su figura mitológica la Madre Tierra. A la Madre Tierra le cambiaron el nombre por "María" y así nació el culto sincretista de la Virgen. Los medios afectan al mensaje y, a menos que seamos intencionales e inteligentes con la contextualización, nuestro método favorito de compartir el evangelio diluirá nuestro mensaje.

En mi propio ministerio, yo he caído tanto en la infracontextualización como en la sobrecontextualización. Ha habido momentos en que mi frustración con las diferencias culturales me ha llevado a recurrir a un moralismo rancio que se parecía mucho más a la religión popular estadounidense que al evangelio universal de las Escrituras. Otras veces, estaba tan preocupado por encontrar la manera apropiada para hablar de Jesús, que nunca llegué a compartir las buenas nuevas.

A pesar de las buenas intenciones del misionero moderno, la sobrecontextualización es un problema real en el campo misionero. A menudo, el misionero transcultural puede llegar a adaptarse tanto a las costumbres locales que pierde por completo ese "elemento diferenciador" que hacía que su mensaje fuera radicalmente diferente a lo que la cultura tenía que ofrecer. A veces la contextualización requiere una especie de disonancia estratégica.

Por ejemplo, no es por casualidad o pereza que los traductores de las Escrituras a veces hayan decidido transliterar en lugar de traducir del hebreo y el griego bíblico al inglés. La palabra "angel" (ángel) no es una palabra inglesa, sino un anglicismo de la palabra griega *angelos*. Una traducción bastante cercana de *angelos* sería "mensajero", y muchas traducciones de la Biblia eligieron usar esa palabra.[141] Pero la palabra común "mensajero" no logra transmitir la gloria de los mensajeros enviados por Dios que encontramos en las Escrituras. Por eso, los eruditos introdujeron la palabra "angels" (ángeles) al vocabulario inglés y enseñaron a la gente su significado. De la misma manera, la contextualización a veces requiere que el misionero recurra a la transliteración. El objetivo de la contextualización no es perder ese "elemento diferenciador" característico del evangelio, sino comunicarlo fielmente a través de las barreras culturales.

La contextualización es un asunto serio; la sobrecontextualización y la infra-contextualización no logran transmitir el evangelio radical y transformador a las personas perdidas y sin esperanza. En última instancia, el trabajo del misionero es contextualizar lo suficiente como para que los destinatarios del mensaje puedan verlo, escucharlo y entenderlo sin tener que adoptar una cultura extranjera, pero no tanto como para perder la singularidad y exclusividad del evangelio de Jesucristo. El trabajo del misionero es superar las barreras culturales para la comunicación del evangelio. Necesariamente hay distintas formas de hacerlo porque cada contexto cultural y subcultural es único. La escala de distancia cultural nos ayudará en nuestra tarea:

SCALA DELLA DISTANZA CULTURALE

m0	m1	m2	m3	m4

La escala, propuesta por el misionólogo Ralph Winter en 1974,[142] ilustra el desafío de llevar el mensaje de Cristo a otras culturas. El lado izquierdo de la escala (m0) representa a un creyente que comparte el evangelio con alguien que comparte la misma cultura y cosmovisión. Puede ser un hermano, un vecino o un amigo de la infancia. Esta es la forma más pura de evangelización, es decir, cuando un cristiano puede compartir el evangelio de la misma manera que lo recibió.

Cuando nos movemos hacia la derecha, nos vamos encontrando barreras culturales (representadas por las "emes") para la comunicación de las buenas noticias. Por ejemplo: el idioma, las costumbres culturales, los prejuicios profundamente arraigados, la idolatría y cosas por el estilo. Cuanto más a la derecha más barreras, y cuantas más barreras mayor es la distancia cultural entre el misionero y sus oyentes. De forma natural pensamos en personas de otros países o grupos étnicos, pero las barreras también pueden surgir al relacionarnos con personas de otra subcultura, trasfondo socioeconómico o con una experiencia familiar distinta a la nuestra. Una mayor distancia cultural requerirá un mayor grado de contextualización.

Se dice que Lottie Moon, misionera en China a finales del siglo XIX, fue muy radical en su contextualización.[143] A diferencia de sus compañeros en el campo misionero, que conservaron gran parte de su cultura y estilo de vida occidentales, Moon adoptó el estilo de vestir chino y, aunque muchas veces enfermó por hacerlo, comía comida china tradicional. Puede que no te parezca pionero, pero sus métodos fueron causa de mucho debate entre los misioneros internacionales de su tiempo. Moon descubrió que el simple hecho de vestir como ellos reducía la distancia cultural entre ella y los chinos; y comer su comida, aún la reducía más. Por lo tanto, abandonó con gusto sus comodidades para que algunos pudieran ser salvos.

Cuando no contextualizamos, acabamos exportando nuestra cultura y metodologías en lugar del evangelio del reino. A causa de la falta de contextualización, en las aldeas de África o la India podemos encontrar iglesias que se parecen a las del sur de Estados Unidos en la década de 1950. Esa es la razón por la que el cristianismo alrededor del mundo hoy se ha convertido en sinónimo de cultura popular estadounidense, capitalismo y materialismo. Sin contextualización, difundimos un evangelio compuesto por "Cristo + nuestra cultura" que, claro está, es un evangelio falso.

¿Contextualizar para quién?

La contextualización no comienza con el misionero, sino con sus oyentes.

Hace unos años, un misionero plantador de iglesias fue enviado por su iglesia a trabajar entre un grupo étnico en el norte de África. Según los informes demográficos que había visto, la población era 99,9% musulmana. Como quería contextualizar el evangelio, el joven misionero se propuso aprender sobre el islam leyendo el Corán y estudiando historia islámica. Pensó que eso le ayudaría a relacionarse con los musulmanes y encontrar puentes culturales para compartir el evangelio.

Después de un tiempo, el misionero comenzó a tener conversaciones sobre la fe con algunos jóvenes de la ciudad en la que se había instalado. Citó a Mahoma y contrargumentó los preceptos del islam. Esas conversaciones nunca fueron fructíferas, y el misionero aprendió algo sobre aquella gente: solo eran musulmanes nominales. No sabían nada sobre el islam, el Corán o Mahoma. Pero para ceñirse al plan de contextualización que había desarrollado de antemano, el misionero empezó a enseñar a la gente lo que ellos, como musulmanes, debían creer. De esa manera, tendría la oportunidad de discutir con ellos y presentarles todos los argumentos a favor de Cristo. La contextualización no comienza con estadísticas o suposiciones; comienza con las personas.

Si el joven misionero hubiera pasado tiempo conversando con sus vecinos africanos, se habría dado cuenta de que aquel grupo minoritario y oprimido necesitaba escuchar acerca de la libertad en Cristo y acerca de Su fidelidad. Si hubiera estado escuchando, habría oído el clamor de aquella gente demandando justicia, paz e identidad. Esas cosas se pueden encontrar en Cristo. Y eso son buenas noticias. En cambio, el misionero solo enseñó las bases del islam y repitió viejos debates. Contextualizó pensando en un pueblo que no existía a expensas de los que sí existían.

La contextualización requiere que el misionero busque la unidad social más básica. Me refiero a buscar el grupo más grande de personas sin barreras internas para la comunicación del evangelio. En algunos casos, podría tratarse de un grupo etnolingüístico. En otros casos, podría ser un segmento de la población, un clan, una aldea o una tribu urbana. Las personas se agrupan de muchas maneras: por la geografía, la economía, afinidades, el tipo de comercio, una experiencia común, etcétera. Contextualizar significa considerar el idioma, la identidad y la cultura de cada uno de esos grupos y ajustar nuestra presentación del evangelio para que podamos comunicar claramente por qué el evangelio es buenas noticias para ellos.

La contextualización es más que la comunicación verbal. El misionero debe pensar que sus acciones pueden comunicar (o contradecir) el mensaje. Negarse a uno mismo puede implicar cosas muy distintas según la cultura, así como la mayordomía, las bendiciones o incluso la santidad personal. Cuando Jesús volcó las mesas en el templo, realizó señales y prodigios, o cargó la cruz al Gólgota, Jesús no solo comunicó Su mensaje con palabras; también lo hizo con acciones. Es por eso que debemos proclamar el evangelio con palabras y hechos, para que otros vean nuestras buenas obras y glorifiquen a Dios.[144]

Una estudiante universitaria de Texas fue enviada por su iglesia como misionera a España por un semestre. Inmediatamente, comenzó a conocer a unas jóvenes españolas que la aceptaron fácilmente en su grupo social. El grupo invitó a la estudiante estadounidense a cenar, luego a ir de copas y a bailar. El hecho de no haber estado nunca en un bar o una discoteca la había puesto nerviosa, pero pensó que quizá nunca se le presentaría la oportunidad de pasar tanto tiempo con estudiantes españoles en su ambiente normal, así que aceptó de buen grado. A lo largo de la noche, la misionera pudo hablarles de su fe. Incluso oró con las chicas y les explicó que tenían que arrepentirse y aceptar a Cristo.

Al día siguiente, la estudiante universitaria llamó a su casa para compartir esas noticias con su familia en Texas. Les habló de la aventura de la noche anterior y de la buena oportunidad que se le había presentado de compartir y vivir el evangelio. En lugar de regocijarse con ella, la familia de la joven misionera estaba horrorizada. Su madre se escandalizó al oír que había ido a un bar y a una discoteca. "¡Has arruinado tu testimonio!", se lamentó, decepcionada de que su hija hubiera sido tan influenciable y hubiera comprometido su conducta moral. La estudiante se disculpó y nunca más volvió a salir con las chicas españolas.

Lo que se ve como santidad en una cultura no es santidad en otra. La madre se equivocó al reprender a su hija, pues debería haberla animado a seguir encarnando el evangelio entre los estudiantes españoles. Lo que la madre no sabía, y la hija no le comunicó, es que un bar en España no es como un "bar" en Texas. Una discoteca en Madrid no es lo mismo que un sórdido club nocturno en Dallas. En España, esos son los centros de la vida social. En España, nadie verá a Jesús en ti solo porque no entras a los bares. De hecho, si no vas a esos lugares, es probable que los españoles simplemente no te vean.

Los cristianos son extranjeros

En muchos sentidos, los misioneros extranjeros lo tienen mucho más fácil que los pastores y plantadores de iglesias que trabajan en sus propias culturas. Cuando es obvio que eres extranjero, actúas como un invitado. No asumes que tienes la credibilidad, la autoridad o el conocimiento cultural que te harían ser influyente. Como persona venida de fuera, no puedes permitirte el lujo de hacer suposiciones sobre lo que la gente cree o si entiende o no lo que estás tratando de decir. Cuidas la forma en la que te comunicas y escuchas atentamente porque si no lo haces, te perderás y te frustrarás.

Resulta que todos los cristianos del mundo son, inevitablemente, extranjeros —incluso aquellos que han nacido y han crecido en las mismas comunidades en las que viven hoy en día. En Cristo, nuestra ciudadanía ya no está en los reinos terrenales, sino que está en el reino de Dios. Así, Pablo anima a la iglesia en Filipos a no poner su mente en las cosas terrenales porque "nuestra ciudadanía está en los cielos"[145], y recuera a los Efesios que, aunque una vez fueron forasteros, en Cristo son "conciudadanos de los santos y miembros de la familia de Dios".[146] Pedro implora a los creyentes, "como a extranjeros y peregrinos", que se abstengan del pecado, que desacredita nuestro testimonio. Como extranjeros, entonces, seguimos el ejemplo de Cristo y encarnamos el evangelio entre aquellos a quienes hemos sido enviados.

Cualquiera que haya intentado contextualizar el evangelio a una cultura, rápidamente se da cuenta de que nunca llegaremos a ser uno de ellos. Un misionero en la India puede vivir, vestirse y comer como un indio —incluso puede llegar a dominar el hindi— pero nunca será indio. Lo máximo que podemos esperar es ser "forasteros aceptables".[147] Sin embargo, el misionero hace lo que puede para minimizar las diferencias entre él y los que le rodean, a fin de proclamar y encarnar el evangelio con claridad.

La meta de la contextualización es la comunicación del evangelio que producirá discípulos que se organizarán en iglesias autóctonas reproducibles. Hacemos esto porque es el ejemplo que nuestro Señor nos dejó y nos ordenó que hiciéramos lo mismo. Él se glorifica en la diversidad humana cuando Su evangelio da vida a personas de toda tribu, lengua y nación.

CÓMO CONTEXTUALIZAR

Aprende la cultura

Como hemos mencionado, la contextualización comienza con la cultura. Como misionero, armado con un profundo conocimiento de la verdad universal e inmutable de las Escrituras, debes sumergirte en un estudio deliberado de la cultura anfitriona. La mejor forma de hacerlo es a través de la inmersión. Para entender a un grupo de personas, debes vivir entre ellas.

Una parte clave de la cultura es el **idioma**. Cuando trabajas con personas que hablan un idioma totalmente diferente al tuyo, debes dedicar tiempo y esfuerzo a aprender la gramática, el acento y el uso del idioma local. Pero cuando trabajas entre personas que parecen hablar tu idioma, también tienes que prestar atención a la forma en la que hablan. ¿Hay alguna diferencia entre cómo hablan de cosas serias y cómo hablan de cosas triviales? ¿Las palabras que normalmente usarías para comunicar el evangelio tienen otros significados o connotaciones negativas? Para empezar, necesitas estudiar el idioma local para poder responder a estas preguntas y, a continuación, poder buscar soluciones creativas.

Haz un mapa

Recopila las conclusiones de tu investigación, de las entrevistas y de tus experiencias en un formato que te ayude a tener una visión global y a compartir la información que has obtenido. Anota aquellas cosas que puedan ser relevantes para comprender de qué forma las personas se comunican e interactúan entre sí. Haz una exégesis cultural para encontrar los puentes y las barreras para el evangelio que ya existen dentro de la cultura.

Nota: No puedes aprender sobre una cultura sentado frente al ordenador en tu oficina. Para entender a la gente se necesita mucho más que una búsqueda en Google. Desde la oficina no son más que estadísticas y proyectos. Solo se convertirán en personas cuando interactúes con ellos de forma personal.

Proclamación con palabras y hechos

Hazte esta pregunta constantemente: ¿En qué sentido el evangelio es buenas nuevas para esta gente? (Ten en cuenta que, como en el caso del joven rico, las "buenas noticias" pueden parecer malas noticias.) Recuerda que la gente no ve a Jesús en ti porque no fumes, no bebas, etcétera. Averigua qué les ayudaría a ver a Jesús en ti.

Practica tanto la presencia como la proclamación. La encarnación implica que des testimonio de forma verbal y también a través de tu conducta. En 1 Tesalonicenses 2:8 Pablo escribe que su equipo estuvo dispuesto a "compartir con vosotros [la iglesia en Tesalónica] no solo el evangelio de Dios, sino también nuestra vida. ¡Tanto llegamos a quereros!".

Acostúmbrate a explicarle a la gente lo que la Biblia dice, y pregunta: "¿Cómo lo pondríais en práctica en vuestra cultura?". Esto ayuda a que entiendan que la autoridad para la práctica de la fe es la Escritura, no el misionero. Y obliga a los discípulos a pensar cómo expresar el cristianismo en sus propios contextos. Obviamente, para hacer esto tienes que saber lo que la Biblia dice. Toma el compromiso de estudiar las Escrituras con frecuencia y en profundidad. También debes ser consciente de tus propios prejuicios y de tu bagaje cultural. Haz todo lo posible para superar esos prejuicios y salir de tu zona de confort.

Confía en que el Espíritu Santo está obrando y habla el idioma de la gente a la que quieres alcanzar. Permítete cometer "errores". Dios quiere usarte en Su misión global, pero la misión no depende de ti. Nunca asumas que tu estrategia, palabras o personalidad son suficientes para acercar a la gente a Cristo, porque no lo son. Haz lo que esté en tus manos y ora por la salvación de esa gente.

Nunca dejes de contextualizar. La cultura es dinámica y cambiante, y nuestras estrategias misioneras también deben serlo. Justo cuando piensas que has encontrado una buena manera de hablar de Jesús a un grupo concreto, las personas de ese grupo cambian. El clima político, los movimientos y las tendencias sociales cambian de forma constante. No solo contextualizamos para llegar a un pueblo concreto, sino que contextualizamos para llegar a ese pueblo en ese momento y lugar. La contextualización no es una tarea que debamos acabar, sino una actitud de debemos asumir. Es nuestra identidad. Id con valentía a hacer discípulos de las distintas culturas enseñándoles a obedecer todo lo que Cristo nos mandó. Anímate: Él estará con nosotros siempre, hasta el fin del mundo.

BUSCANDO CAMINOS ALTERNATIVOS

[Capítulo 9]

Wade Stephens

Jim trabajaba para una gran compañía multinacional cuando él y su esposa Shelly sintieron que Dios les llamaba a servirle en el extranjero.[148] Aunque su compañía tenía oficinas en la ciudad a la que planeaban mudarse, Jim decidió unirse a una agencia misionera y dejar su antiguo trabajo. Durante el proceso, la pareja de treinta y tantos años se reunió con un misionero que les animó a que Jim se quedara en la compañía y pidiera un traslado. Eso solucionaría el tema de los fondos, del permiso de trabajo y también le proporcionaría un montón de contactos con gente del país. No obstante, Jim y su esposa querían ser "misioneros a tiempo completo" para poder dedicar todo su tiempo y energía a la evangelización, el discipulado y la plantación de iglesias. La pareja confiaba en que la agencia misionera les ayudaría a levantar fondos y a conseguir el permiso de trabajo y que, una vez allí, ya encontrarían una razón creíble para interactuar con la gente.

Seis meses más tarde, el misionero que les había dado aquel consejo se encontró de nuevo con la pareja, esta vez en el país al que habían sido enviados. Habían estudiado el idioma y estaban buscando maneras de conectar con los nacionales. Iniciar relaciones con personas de fuera de la iglesia estaba costando más de lo esperado, así que Jim expresó su pesar por no haber pedido un traslado. Dijo que trabajar para una empresa le habría dado una razón creíble y comprensible para estar en el país y una forma natural de relacionarse con los demás.

En los últimos dos años, muchas personas me han hablado de su deseo de servir al Señor en un país diferente al suyo. La mayoría de esas personas no habían ido al seminario. En vez de eso, habían desarrollado su vocación de ingeniero, piloto, empresario, vendedor, contable, etcétera. A menudo esas conversaciones comienzan con el aspirante a misionero compartiendo su deseo de ir a tiempo completo enviado su iglesia o una agencia misionera. Algunos toman ese camino. Otros se rinden, al menos por un tiempo. Sin embargo, otros comienzan a ver y buscar oportunidades de usar su vocación como otra forma de ser misioneros.

Como Jim y Shelly pudieron comprobar, los misioneros de hoy se suelen encontrar con cuatro desafíos. *La credibilidad* es un problema en muchos lugares. Para la gente del país, el trabajo de "misionero" es a veces un concepto extraño y difícil de entender, mientras que la idea de un extranjero que trabaja en una empresa es mucho más común. *La accesibilidad* puede ser un desafío para una persona con el título de "misionero", pero la persona que está en el mercado laboral tiene una interacción natural y regular con colegas, proveedores y clientes, así como con vecinos y personas en el mundo laboral. *El coste de vivir en el extranjero* es un factor prohibitivo para algunos, pero los que trabajan en su profesión perciben un sueldo que cubre o ayuda a cubrir la mayoría de sus gastos. *Obtener los documentos necesarios* como el visado o el permiso de trabajo también se está volviendo cada vez más difícil para el misionero a todo tiempo, pero los que trabajan en otra profesión suelen tener menos dificultad.

Identificando los caminos

Involucrarse en la misión de Dios es todo un viaje. Es un maratón que debemos correr "con perseverancia" (Hebreos 12:1). La misión no es un destino, sino una caminata permanente. Durante este viaje, tomaremos diferentes rutas o caminos. Tanto el lugar de donde venimos como el lugar al que vamos influirán considerablemente en la elección del camino que tomaremos. Aunque los caminos son importantes, no son el foco de nuestro viaje. El énfasis no cambia: "Fijemos la mirada en Jesús, el iniciador y perfeccionador de nuestra fe, quien, por el gozo que le esperaba, soportó la cruz, menospreciando la vergüenza que ella significaba, y ahora está sentado a la derecha del trono de Dios" (Hebreos 12:2). Él es el centro de atención. El viaje consiste en hacer la misión *con Él*. Los caminos, estrategias, enfoques o tácticas son parte de nuestra obediencia a Él. Todos esos esfuerzos tienen que ver con Su gloria, no con la nuestra.

Hay dos grandes categorías de caminos: caminos tradicionales y caminos alternativos. Ambas categorías tienen múltiples expresiones. La razón es que las Escrituras no prescriben una única manera de hacer misión. Determinaremos si un camino es tradicional o alternativo examinando cuatro características del esfuerzo misionero: identidad del misionero, modelo de misión, lugar de misión, y cómo Dios provee de recursos para la misión.

A continuación desglosamos estas cuatro características:

	CAMINOS TRADICIONALES	CAMINOS TRADICIONALES
Identidad del misionero	Misionero o pastor a tiempo completo	Misionero o pastor a tiempo completo
Modelo de misión	Predicar a los no creyentes	Interactuar con los no creyentes
Lugar de misión	Reunión de adoración o evangelística	Lugar de trabajo, casas de no creyentes, lugares donde la gente se reúne
Recursos para la misión	Financiados a través de la iglesia	Financiados a través de la profesión

Al principio de Hechos vemos a Pedro usando un enfoque tradicional. Inequívocamente, así fue como le guió el Espíritu Santo. En el día de Pentecostés, predicó y muchos judíos temerosos de Dios de todas las naciones escucharon el evangelio en su propio idioma y creyeron. Leemos que unas 3.000 personas se añadieron a la iglesia aquel día (Hechos 2:1-41). En esta historia, es fácil identificar a Pedro con un predicador, evangelista o pastor a tiempo completo. En esta ocasión, la misión se realizó a través de la predicación. Pedro empleó este método en una reunión espontánea de judíos devotos procedentes de muchas naciones. Enseguida, aquello se convirtió en una reunión evangelística. Hasta ese momento, los recursos para su ministerio habían llegado en forma de donaciones para que él pudiera dedicarse a lo que Jesús le había llamado. Por medio de este enfoque tradicional, Pedro fue usado por Dios para llevar a cabo Su misión.

Pablo utilizó el mismo enfoque, especialmente durante sus primeros viajes misioneros. Pero más adelante, permaneció en Éfeso durante dos años invirtiendo en algunos discípulos. Gracias a los esfuerzos que Pablo dedicó a formar a aquellos creyentes, "todos los judíos y los griegos que vivían en la provincia de Asia llegaron a escuchar la palabra del Señor" (Hechos 19:10). Justo antes de ese largo período en Éfeso, Pablo trabajó fabricando tiendas. Con lo que ganaba, tenía los recursos que necesitaba para vivir y, también, para hacer la misión.

En este punto de su ministerio, Pablo fabricaba tiendas, como mínimo por razones económicas. Además de poder cubrir sus necesidades, su trabajo también le dio la oportunidad de discipular a otros creyentes durante la semana. Asimismo, si tenemos en cuenta el comportamiento habitual de Pablo, probablemente compartió la esperanza de Cristo con otros fabricantes de tiendas, proveedores y clientes no creyentes. Pero Pablo no solo trabajó con el objetivo de ganarse la vida para poder hacer algunos discípulos a lo largo del camino. Tener un trabajo fue una decisión intencional. Después de aquellos dos años con los efesios, cuando Pablo se despide de los ancianos de la iglesia, les dirige estas palabras:

> No he codiciado ni la plata ni el oro ni la ropa de nadie. Vosotros mismos sabéis bien que estas manos se han ocupado de mis propias necesidades y de las de mis compañeros. Con mi ejemplo os he mostrado que es preciso trabajar duro para ayudar a los necesitados, recordando las palabras del Señor Jesús: "Hay más dicha en dar que en recibir" (Hechos 20:33-35)

En estas palabras de despedida a sus discípulos misioneros, Pablo puso especial énfasis en su trabajo fabricando tiendas. Era importante para él no ser una carga para la iglesia. También trabajó para generar unos fondos que le permitieron ser de bendición para los necesitados. Al fabricar tiendas y dar de su propio dinero, dio un claro testimonio del Mesías que se entregó a sí mismo por los demás. De hecho, este enfoque misionero de Pablo amplificó o hizo más visible el mensaje del evangelio.

Durante este período, para Pablo la misión incluía formar a otros misioneros, así como interactuar con otros fabricantes de tiendas —como Aquila y Priscila— y con la gente de la ciudad (Hechos 18:1-4). Trasladó su lugar de reunión del templo a la escuela de Tirano (Hechos 19:8-10). Su trabajo como fabricante de tiendas seguramente le dio la oportunidad de seguir pasando tiempo con gente del oficio y otros comerciantes. Dios le proporcionó a Pablo los recursos que necesitaba para hacer la misión por medio de su trabajo en el mercado laboral.

Está claro que Dios usó la metodología de Pedro en Hechos 2 y la de Pablo en Hechos 18-19. Eso nos muestra que no existe un enfoque o un camino único para hacer la misión. Los métodos también pueden coexistir, pues vemos que Pedro también ministra en un hogar (Hechos 10) y que Pablo predica y enseña en el templo. Las cuatro características del esfuerzo misionero no tienen por qué encajar exclusivamente en la columna de "caminos tradicionales" o de "caminos alternativos". La Iglesia necesita entender que el envío de sus miembros, para ser un envío informado, efectivo y culturalmente apropiado, incluirá caminos tradicionales y caminos alternativos. Una iglesia que envía tiene que usar caminos diferentes según el contexto, tanto económico como social, y en base a los dones de la(s) persona(s) enviada(s).

Examinando los caminos alternativos

Demasiados cristianos ven la misión como algo que solo se puede lograr a través del enfoque tradicional. Si alguien quiere ir a la misión, lo que se espera es que renuncie a su trabajo, dedique un tiempo significativo a formarse, levante fondos y se mude. Pero es necesario que en muchos lugares del mundo y en muchas áreas de la sociedad haya profesionales, expertos, estudiantes y otros que brillen con la luz de Cristo. La iglesia debe reconocer, honrar y capacitar a estos "misioneros", y orar por ellos como ora por los misioneros "a todo tiempo". Además, en muchas partes del mundo, los misioneros a tiempo completo cada vez tienen más dificultades para conectar con el mundo y ser relevantes. Los caminos alternativos son vías que permiten a estos diferentes tipos de misioneros hacer la misión en un sinfín de lugares de manera creíble. El número de personas que la iglesia envía usando caminos alternativos es pequeño, pero está creciendo. Las iglesias que envían están comenzando a considerar caminos alternativos porque cada vez hay más gente que quiere involucrarse en la misión. De hecho, a veces hemos visto a familias que han ido a la misión de esa forma y la iglesia no se ha dado ni cuenta. La iglesia debe apoyar a esa gente. Y la forma en la que la iglesia les capacite y les envíe deberá servir para que esa gente también interiorice las habilidades de capacitar y enviar.

El número de maneras en las que uno puede ser misionero parece interminable. Hacer una lista de las posibilidades ayuda a estimular la creatividad para dar con diferentes estrategias de misión.[149] Los caminos alternativos se pueden organizar en tres tipos: la estrategia secular, la estrategia creativa y la estrategia de plataforma. Estas categorías no son necesariamente excluyentes, pero la mayoría de los enfoques encajan de forma clara en una de ellas.

La vía secular se da cuando alguien consigue un trabajo *normal* o va como un estudiante *normal* y utiliza esa nueva posición para la misión. Esto incluiría hacerse con un trabajo en una empresa, una organización sin ánimo de lucro o estudiar como estudiante universitario o de posgrado con el fin de obtener un título académico. Otro camino dentro de esta categoría sería realizar viajes de negocios o ir de turismo con un propósito. Un *viajero intencional* cultiva relaciones con la intención de sembrar el evangelio. Normalmente lo hace quedándose en el mismo hotel y comiendo en los mismos restaurantes durante un período de tiempo considerable. Ya que los caminos seculares no dependen del apoyo de los donantes, en términos económicos son la manera más fácil de involucrarse en la misión. Esta estrategia ofrece la oportunidad de usar la infraestructura u oportunidades existentes para ir y hacer discípulos mientras se desarrolla otra actividad.

Actualmente, hay personas en todo el mundo utilizando los caminos seculares. Esto incluye personal de embajadas, organizaciones de ayuda humanitaria, estudiantes universitarios, ingenieros, contables, etcétera. Un ejemplo del camino secular sería un investigador científico que se mudó con su esposa para trabajar con una compañía farmacéutica en Suiza hace unos años. Al principio, le entusiasmaba la idea de abrir una cuenta en un banco suizo y trabajar en un lugar tan hermoso de Europa. Después de un par de semanas en el nuevo trabajo, su entusiasmo se desvaneció al ver la necesidad entre sus compañeros de trabajo. Comenzó a hablar con los líderes de Skybridge Community —un grupo que busca caminos alternativos para llevar a cabo la misión— y con su iglesia local acerca de cómo podría involucrarse en la misión.[150] Ahora, mientras sigue con la investigación, lleva el evangelio a los que están en su área de influencia y ayuda con la plantación de una iglesia en su ciudad.

Los caminos creativos son aquellos que surgen al comenzar algo nuevo. Las opciones son ilimitadas. Surgen para satisfacer las necesidades de una entidad (necesidades propias de la entidad), un grupo de personas o un lugar (necesidades de la misión). Los caminos creativos pueden tomar la forma de una entidad lucrativa o no lucrativa. Esta categoría ofrece a una empresa que ya está siendo rentable con una línea de productos o servicios la oportunidad de abrir una sucursal o división en otro lugar. Una empresa puede "externalizar" estratégicamente algunas de sus funciones a otro lugar. Por ejemplo, hacer una externalización tradicional con intencionalidad o mantener el control trasladando la oficina a otro lugar del mundo. Esto ocurre cuando una empresa ubica un aspecto de su negocio como la tecnología de la información o la contabilidad en otra parte del mundo. Otra estrategia creativa sería iniciar un nuevo negocio u organización sin ánimo de lucro que se desarrollase en torno a un grupo o lugar. Los caminos creativos nos ofrecen una de las mejores oportunidades para soñar estratégicamente con el objetivo de desarrollar una avenida por la que el evangelio pueda avanzar de forma significativa.

Un negocio de Missouri ha utilizado estrategias creativas para abrir varios caminos creativos para la misión. Una de sus iniciativas surgió por las necesidades misioneras y, la otra, por las demandas del propio negocio. La primera aventura comenzó porque algunos de los empleados tenían conexiones con un país empobrecido del sur de Europa. Viendo la necesidad que había del evangelio en una de las ciudades más pequeñas, los líderes de la compañía ayudaron a crear una escuela de inglés. Gracias al contacto continuo de los estudiantes con los seguidores de Cristo que organizan las actividades en inglés, muchos han confiado en Cristo. La compañía y la escuela de idiomas siguen trabajando con la iglesia local y los estudiantes para encontrar formas de discipular a esos nuevos creyentes. La segunda aventura comenzó cuando la compañía buscaba formas de aumentar la capacidad de producción. Trasladaron una línea clave de la producción al este de Asia, y para ello enviaron a un empleado para trabajar con el fabricante y supervisar el control de calidad. Este empleado tiene una relación estrecha con muchos trabajadores del proceso de producción y ha visto cómo un buen número de ellos ha entregado su vida a Cristo. El equipo directivo de la compañía sigue visitando la fábrica por razones laborales, pero principalmente para llevar el evangelio al dueño de la fábrica. Su estrategia empresarial actual incluye seguir fabricando productos de calidad y llegar a establecer una iglesia en la fábrica con la bendición del dueño.

Los caminos plataforma son trabajos, roles o funciones que permiten a los misioneros a todo tiempo relacionarse con la gente de maneras culturalmente apropiadas. Estos caminos son para los misioneros que ya vienen con sus propios fondos, ya sea gracias a un grupo de donantes, una agencia misionera o recursos personales. Usando una habilidad, pasatiempo o profesión, el misionero encuentra una manera de interactuar con la gente a la que ha sido enviado. Crear estos caminos no suele suponer un gran esfuerzo económico, lo que hace que sean relativamente fáciles de comenzar y terminar.

Una de estas iniciativas sería la asesoría agrícola en lugares de todo el mundo, incluyendo Sudamérica y el África subsahariana. En algunos lugares de Asia, por ejemplo, se está usando la agricultura hidropónica. En algunos lugares de Europa se utiliza la fotografía y otras artes. Las inspecciones de control de calidad suponen una gran oportunidad para algunos misioneros en el sur de Asia. El periodismo ofrece una ventana de oportunidad en el norte de África, Oriente Medio y Asia Central.

Componentes críticos

Uno de los retos del debate sobre los caminos alternativos es su amplio alcance. Hasta la fecha, las expresiones que se suelen usar para hablar de este debate son *negocios como misión* (BAM por sus siglas en inglés: "business as mission"), *misión a través de la profesión (también se habla de obreros bio-cupacionales)*, desarrollo de una *plataforma* y *acceso creativo*. Mientras que "negocios como misión" y "misión a través de la profesión" se han usado más para referirse a un enfoque empresarial que hace misión, las plataformas y el acceso creativo han sido el terreno de los misioneros que desarrollan una entidad o un enfoque empresarial que les ayude en sus esfuerzos misioneros. No obstante, todos estos términos pueden significar cosas diferentes, pues para unos quieren decir una cosa y, para otros, otra. Aquí estamos usando la expresión "caminos alternativos a la misión" ya que esta área incluye a personas y organizaciones cuyo punto de partida está en la misión o en los negocios. No hay un camino correcto o incorrecto, y yo he visto cómo distintos modelos han servido para el avance del evangelio. Aunque todo lo anterior puede resultar útil, hay una variante que siempre ha resultado problemática: los intentos tibios y poco desarrollados de buscar caminos alternativos nunca van bien.

Después del ataque a las torres del World Trade Center el 11 de septiembre de 2001, hubo consecuencias en todo el mundo. Muchas de las universidades de otros países a las que los misioneros habían tenido libre acceso, comenzaron a cerrarles sus puertas. Las organizaciones y aquellos que no eran estudiantes ahora tenían que solicitar permiso para estar en esos campus. Algunos misioneros que habían estado trabajando en las universidades accedían con su tarjeta de presentación. En algunos lugares esto funcionó durante una temporada; en otros, no. Con el tiempo, algunas universidades se volvieron más estrictas y preguntaban a los misioneros con qué razón estaban en el campus. He visto a varias organizaciones misioneras perder el acceso a los campus universitarios por entrar bajo una identidad y propósito, pero luego hacer otra cosa. Como el misionero se veía a sí mismo solo como misionero, no cumplió con el rol que había prometido. Muchos han criticado esa táctica por ser engañosa. Esa práctica ha conducido a la pérdida de acceso a algunas universidades y organizaciones. Además, por esos intentos parciales a algunos misioneros los han expulsados del país y les han anulado los visados.

Un amigo mío me contó una historia en la que podemos ver esa táctica engañosa:

> Dos días después de llegar a Europa Occidental, el líder del equipo nos llevó a mi esposa y a mí a la oficina de inmigración para solicitar los permisos de residencia. De camino al edificio del gobierno, el veterano misionero nos advirtió que tuviéramos cuidado con lo que decíamos en la sala de espera. "La oficina estará llena de todo tipo de gente, y a algunas personas no les gustan los estadounidenses".

> Nos habían preparado para el antiamericanismo. No era un secreto que Estados Unidos no era querido por todo el mundo. Nuestra capacitación misionera había incluido el tema de la seguridad: qué decir y hacer en caso de antagonismo o algo peor. Aun así, estábamos contentos de tener un misionero experimentado con nosotros, por si acaso.

> La visita a la oficina de inmigración fue espera tras espera. Esperamos hasta que los funcionarios acabaron de fumar y abrieron las puertas. Esperamos para que nos dieran los formularios correctos. Esperamos hasta que nos dieron número, y luego esperamos hasta que nos llamaron. Lo único que podías hacer mientras esperabas era mirar a las demás personas que había en la sala de espera. A su vez, esas personas, de todas partes del mundo, nos miraban mientras esperaban.

El líder de equipo aprovechó la oportunidad para seguir enseñándonos sobre la cultura local. Mientras nos hablaba de sus interacciones —tanto positivas como negativas— con la gente de la ciudad, nos dimos cuenta de que una mujer joven al otro lado de la sala observaba y escuchaba atentamente nuestra conversación. Después de unos instantes, la mujer se nos acercó con una gran sonrisa en la cara. "No he podido evitar escuchar vuestra conversación. ¡Qué contenta estoy de encontrar a otros estadounidenses!".

Rápidamente, repasé en mi mente la conversación con el líder de equipo. ¿Habíamos hablado de la gente de forma negativa? ¿Nos habíamos quejado? ¿Habíamos puesto en peligro la seguridad de nuestros colegas al hablar abiertamente sobre información sensible? Mi esposa y yo ignoramos a la mujer y nuestras miradas se posaron sobre el líder de equipo. Él sabría cómo manejar a aquella fisgona.

"¿Qué haces aquí?", preguntó la mujer. Para el nuevo misionero, era difícil saber cómo responder a esa pregunta. La respuesta era complicada; habíamos sido entrenados para dar solo la información necesaria sobre nuestra presencia en el país. Aunque técnicamente era legal estar allí como misioneros, el clima social había hecho necesario que tuviéramos una plataforma, un trabajo secular que legitimara nuestra presencia allí. El problema era que aún no habíamos decidido cuál iba a ser nuestra plataforma. Una vez más, recurrimos al líder de nuestro equipo.

"¿Yo? Bueno, yo soy... nosotros, um... er...".

Claramente la experiencia en el campo no hizo que la pregunta fuera más fácil de responder.

"Trabajo mucho con escuelas", tartamudeó.

La mujer fue educada. "¡Eso es fantástico! Mi madre era maestra cuando yo era niña. ¿Es usted profesor? ¿Trabaja en administración?".

"Sí, soy como un profesor, pero no enseño. ¡Dije que trabajo con escuelas, no en ellas!". El líder de equipo parecía estar a la defensiva. Estábamos confundidos tanto por su respuesta como por su reacción. Claramente, la mujer también lo estaba, así que él intentó aclararlo.

"En realidad soy más como un consejero. Ayudo a la gente con sus problemas".

"¿Un consejero? ¿Como un psicólogo? De hecho, conozco a un consejero matrimonial que vive aquí. Es un viejo amigo de la familia. Tiene una consulta en el centro de la ciudad. ¿Tal vez lo conozcas?".

"No soy esa clase de consejero", dijo el misionero torpemente. "Supongo que se podría decir que soy fotógrafo. Hago muchas fotos".

La cosa iba empeorando. Aquel hombre había cambiado de profesión tres veces en cinco minutos. O era esquizofrénico o un espía terrible. ¿Cómo puede un hombre adulto no saber por qué se había mudado a Europa Occidental? Mi esposa y yo nos sentíamos avergonzados, pero no sabíamos cómo ayudar. Miramos al suelo y empezamos a orar para que nos llamaran pronto.

"Un fotógrafo, ¿eh?", dijo la mujer, incrédula.

"Bueno, tengo una buena cámara, pero no soy profesional".

La mujer dio un paso atrás, visiblemente incómoda ante aquel extraño comportamiento. Empezó a mirar a su alrededor con nerviosismo. Supongo que estaba buscando a un agente de policía o a un equipo de cámara oculta.

"En realidad", dijo el misionero, que ahora se inclinó hacia ella y bajó la voz, "somos misioneros encubiertos. Esta pareja acaba de unirse a nuestro equipo y yo dirijo su capacitación".

"¿Misioneros?", dijo la mujer, sin saber si creerle esta vez, y un poco decepcionada ante la idea de que pudiera ser cierto. "Interesante", dijo, mirándonos sin mostrar el más mínimo interés. Volvió al otro lado de la sala y evitó el contacto visual con nosotros.

Acabamos nuestro cometido en el edificio del gobierno y nos dirigimos a la universidad para inscribirnos en la escuela de idiomas. Mientras caminábamos, el líder de equipo dijo: "¡No me puedo creer lo de esa chica! ¿Qué ha sido ese interrogatorio? Normalmente, la gente no hace tantas preguntas".

Claramente.

Cuando llegamos a casa esa noche, mi esposa y yo hablamos largamente sobre esa experiencia. ¿El líder de equipo había recibido la misma capacitación que nosotros? ¿Cómo deberíamos haber respondido a las preguntas? Un encuentro de ese tipo podía arruinar cualquier posibilidad de relacionarnos con la gente del lugar e incluso podía poner en peligro nuestro permiso de residencia. Al menos, estábamos agradecidos de que aquella conversación fue con una estadounidense y no con un nacional. Eso habría sido horrible.

Empezamos en la escuela de idiomas el lunes por la mañana. Había una docena de estudiantes en la clase: un par de universitarios japoneses, un hombre de negocios holandés, una pareja de jubilados alemanes y unos cuantos estadounidenses, entre ellos la mujer de la oficina de inmigración.

Todos los intentos sinceros de hacer misión a través del acceso creativo deben tener en cuenta cinco componentes clave.[151] El punto de partida para hacer bien cualquier tipo de misión es tener una *iglesia que envía*. La iglesia que envía hace precisamente eso. Envía a la gente. Se compromete a orar por ellos, a recordarlos, a visitarlos cuando estén desanimados y a ayudarlos en lo que sea necesario. Como la relación de Pablo y Bernabé con la iglesia en Antioquía, aprenden unos de otros y se rinden cuentas mutuamente.[152] Cuando empieces a sentir que el Espíritu Santo te llama a ir a otro lugar, comienza a conversar con los líderes de tu iglesia. Al igual que la iglesia en Antioquía, los líderes de la iglesia son los que deberían enviar a otros líderes a hacer la misión. Aunque estés considerando ir a través de una organización misionera, este sigue siendo un paso clave. Cuando la iglesia toma el compromiso de enviar, generalmente es necesario tener grupos pequeños que se comprometan con el misionero. Estos son los que se mantienen en contacto con él y comparten con el resto de la iglesia los motivos de gratitud y las necesidades.

Algunas iglesias que envían están comenzando a hacer misión de esa manera. Un ejemplo es la Iglesia LifePoint en Smyrna, Tennessee. Han enviado equipos de varias familias a dos continentes diferentes para llevar el evangelio de Jesucristo. Un equipo está en un centro urbano en Asia y el otro en Europa. Lo excepcional de estos esfuerzos es que no son equipos de corto plazo. Lo que se espera de ellos es que se comprometan al menos por tres años. Algunas de las familias ya están pensando en quedarse más tiempo para que el evangelio arraigue en las ciudades en las que viven y trabajan.

Segundo, es importante tener un *trabajo*. Para una sola persona, no debería ser complicado. No siempre es fácil, pero lo que uno tiene que hacer está claro. La creatividad y el trabajo en red en el proceso de búsqueda de empleo son vitales para la mayoría. Un buen punto de partida para la creatividad es el libro *What Color is Your Parachute?*[153] De nuevo, las muchas personas de negocios que viajan de forma regular pueden hacer la misión siendo un viajero intencional. Si tu trabajo ya te lleva a las mismas partes del mundo regularmente, entonces quedarte a propósito en el mismo hotel, comer en los mismos restaurantes, etcétera, puede darte oportunidades para desarrollar la misión entre esa gente. Para una empresa, puede suponer la creación de otro puesto para una determinada función, como informático, producción, ventas, etcétera. Para un misionero o una agencia misionera que busca entrar en un lugar, puede suponer la creación de una entidad o servicio creíble, ya sea lucrativo o sin ánimo de lucro. Para esta parte del proceso, involucra a mentes emprendedoras. Otra posibilidad para el misionero a tiempo completo que busca un camino alternativo puede ser hacer de *conector*, es decir, trabajar en red con personas que tienen una visión similar. El conector interactúa con otros misioneros para saber lo que está sucediendo en la ciudad y con misioneros de caminos alternativos para promover las oportunidades de trabajar juntos.

En tercer lugar, la *capacitación* es esencial. Aquellos que no han vivido la misión de forma integral antes suelen estar ansiosos por recibir formación. Aunque tengan experiencia en un enfoque tradicional de la misión, la capacitación puede proporcionar una perspectiva alternativa saludable para identificar cómo vivir de forma misional entre los compañeros de trabajo. En más de una ocasión, personas que trabajan en multinacionales en el extranjero me han dicho que les gustaría servir como misioneros mientras viven en ese país, pero simplemente no saben cómo. Esos aspirantes a misioneros necesitan mentoría para ganar confianza y aprender de la experiencia de otros. Deberíamos prepararlos para ser misioneros que hacen discípulos que, a su vez, hacen más discípulos. Así, el cuerpo de Cristo crece y sigue haciendo la misión.

En cuarto lugar, es deseable tener *conexión con un ministerio local*. Cuando sea posible, busca unirte a otros que están haciendo discípulos, comenzando grupos y plantando iglesias. Podría ser una iglesia local. En muchos lugares habrá un misionero o un plantador de iglesias nacional buscando extender el evangelio. Si el trabajo conjunto es viable, puede alentar a todos los involucrados.

En quinto lugar, participar en una *comunidad* de personas con una visión similar puede ser clave. Habrá momentos de frustración y desánimo. Incluso la persona más comprometida y centrada puede perder de vista el objetivo. La Gran Comisión no es para llaneros solitarios. Se hace mejor en comunidad, compartiendo unos con otros lo que Dios está haciendo, lo que estamos aprendiendo y apoyándonos mutuamente en oración.

Celebrar

Chuck y Katy estaban sirviendo como misioneros a corto plazo en Europa con una agencia misionera.[154] Su iglesia en Estados Unidos celebraba la disposición de estos dos jóvenes de ir a la misión. Les apoyaban orando por ellos, enviándoles paquetes y hasta pusieron su foto en el tablón de misiones. Después de que Chuck y Katy acabaron su tiempo en Europa y Chuck acabó la carrera de Medicina, se mudaron para servir en un área pobre de un país del norte de África. Él trabajaría como médico y ella como escritora independiente. Habían hecho cálculos, y creían que los ingresos de ambos iban a ser suficientes para pagar las facturas. Aunque ellos se veían como misioneros, su iglesia sacó su foto del tablón de misiones. La iglesia que tanto había celebrado su anterior partida al extranjero ahora ya no les veía como misioneros.

Cuando oí esta historia, sacudí la cabeza con incredulidad. Sin embargo, desde entonces me he encontrado con otras iglesias que han actuado de forma similar. Una de esas iglesias envió a una familia a un país europeo donde había mucha pobreza y la gente necesitaba desesperadamente a Dios. La iglesia oró por la familia, pero no sabía si apoyarlos de alguna otra forma o si verlos como misioneros enviados por la iglesia. Cuando me reuní con los líderes de misiones les pregunté si había algún tema moral, teológico o de liderazgo que les impidiera ser misioneros cualificados. Los líderes me dijeron que eran una familia sana, que habían sido líderes en la iglesia y que no había ningún problema teológico. Simplemente estaban preocupados porque la familia no se había afiliado a una agencia misionera. Aunque la iglesia quería reconocerlos como misioneros, lo postergaron durante algún tiempo. A esta y a otras iglesias yo les diría: "¡Permiso concedido!". Apoyad a las familias sanas a las que Dios esté llamando. Celebrad lo que Dios está haciendo en sus vidas y entre las personas que irán a servir. Pero sabed que habrá gente que se sentirá llamada a seguir su ejemplo. Cuando la iglesia envía lo mejor de sí misma y lo celebra, es probable que más personas quieran sumarse a la misión tanto en su lugar de trabajo como yendo a las naciones.

Si los caminos alternativos van a ser una parte clave de la misión, entonces deben darse algunos cambios. Primero, la iglesia debe llevar a cabo la Gran Comisión. Somos enviados así como Jesús fue enviado (Juan 20:21). El cuerpo de Cristo es al mismo tiempo la iglesia enviada y la iglesia que envía. Como la iglesia en Antioquia, tenemos que enviar a aquellos que llevarán el evangelio a otros. Como Pablo, que a menudo trabajó fabricando tiendas, hoy en día hay muchas personas dispuestas a hacer lo mismo. La iglesia debería animar a los que están dispuestos a dar su vida de esa manera. Debería enviarlos con su bendición, capacitarlos, apoyarlos y orar mucho por ellos. Debería caminar junto a ellos para animarlos y ser animada por ellos. Enseñarles y, a la vez, aprender de ellos. En resumen, la iglesia debería verse a sí misma como el cuerpo de Cristo que ha sido enviado y, a la vez, como la iglesia que envía.

En segundo lugar, las organizaciones misioneras tienen que encontrar maneras de colaborar más estrechamente con las iglesias y trabajar con los que estas envían a la misión. Para que la misión avance hoy es clave compartir información, recursos, experiencia y celebrar lo que Dios hace a través de otros. Cuando alguien sale a la misión, ya sea enviado a través de una iglesia o de una agencia misionera, deberá considerar seriamente los posibles caminos alternativos. Muchos misioneros a todo tiempo han obtenido un visado gracias a las oportunidades ofrecidas por alguna empresa u organización sin ánimo de lucro. Este es un nivel básico de colaboración, pero debe haber mucha más colaboración. Las organizaciones misioneras también deben ver como misioneros a aquellos que están comenzando y dirigiendo esos negocios y organizaciones sin ánimo de lucro. La agencia puede capacitarlos en prácticas misioneras mientras que aprende de esas otras organizaciones y personas sobre cómo dirigir un negocio o una organización sin ánimo de lucro. Adquirir ese tipo de habilidades podría servir para hacer avanzar la misión. Mientras escribía este capítulo oí de una familia que estaba preparándose con una agencia misionera para ir a un país europeo castigado económicamente. Pero ese país les denegó los visados. Si en lugar de venir como misioneros tradicionales su llegada hubiera supuesto un valor para el país, probablemente no se los hubieran denegado. En el futuro, la colaboración y la valoración de caminos alternativos será fundamental para el avance de la misión.

En tercer lugar, los seminarios deben impulsar la idea y la práctica de los caminos alternativos a la misión. La mayoría de los misioneros a tiempo completo tienen algún tipo de formación teológica. Eso es bueno. La formación teológica es importante. Pero muchos graduados de seminario con los que he hablado reconocen que no toda la formación recibida es relevante para el día a día en el ministerio. Los seminarios deberían identificar aspectos clave para equipar a aquellos que están viviendo como misioneros en el mercado laboral. Reunir esos elementos básicos en un curso a distancia o una asignatura intensiva sería un recurso valiosísimo para ayudar a los profesionales a pensar más como un misionero.

Además, los seminarios deben enseñar a los futuros pastores a enviar a todos sus miembros a la misión. Si enseñamos a los pastores a equipar a la fuerza misionera que es la iglesia, eso significará un mayor número de misioneros tanto en el país como en el extranjero. También, servirá para que los misioneros que sirven a través de caminos alternativos sean reconocidos como misioneros. Cuando alguien se siente llamado a la misión, muchas veces los pastores lo animan a dejar su lugar de trabajo para hacerse misionero a tiempo completo. Deberíamos equipar a los pastores para que animen a la gente a investigar y valorar todos los caminos posibles.

¿CÓMO ENCONTRAR UN CAMINO ALTERNATIVO?

Para evaluar los caminos alternativos, tenemos que pensar analíticamente. Los caminos alternativos deberían ayudarnos con las siguientes cuestiones: credibilidad, accesibilidad, coste de vida y documentos esenciales. Para decidir si tomar o no un camino alternativo, el misionero debe responder a tres preguntas clave.

- ¿Existe algún problema de acceso que deba ser superado? El problema puede ir desde obtener un visado para entrar a un país hasta si el misionero puede o no puede introducirse en un grupo concreto. Por ejemplo, un misionero que va a trabajar con estudiantes universitarios a un lugar donde el acceso a la universidad está restringido podría ser un problema. Por medio de un camino alternativo, los problemas de acceso pueden desaparecer. Normalmente, en cualquier lugar del mundo un visado no religioso permite un mayor acceso.
- ¿Desarrollar relaciones personales es un reto? Si un misionero, por la razón que sea, es incapaz de desarrollar relaciones significativas con los perdidos de una cultura, hacer discípulos será una empresa imposible. Los caminos alternativos pueden ser muy útiles para lograr una interacción significativa y sostenida en el tiempo.
- ¿La gran mayoría de la gente no responde al evangelio? La interacción sostenida con un pueblo puede fomentar un proceso de prediscipulado que llevará a las personas a convertirse en seguidores de Cristo.

Si la respuesta a cualquiera de estas preguntas es afirmativa, entonces deberíamos orar y considerar algún camino alternativo. Optar por una estrategia distinta puede tener sentido, pero también debemos tener en cuenta la guía del Espíritu. Ora continuamente y, en este punto del camino, dedica más tiempo a la oración. El siguiente paso es evaluar las posibles estrategias. Analizar estas preguntas en equipo producirá mejores resultados. A la hora de responder, sería de mucha ayuda tener en el equipo a un estratega y a un experto cultural. Aquí tienes una lista de preguntas de evaluación que el equipo debería considerar:

- ¿La estrategia encaja con la gente y la cultura? La gente del lugar,

¿vería la estrategia como algo que cubriría sus necesidades o les beneficiaría de alguna manera? Por ejemplo, abrir una cafetería en una economía emergente puede ser de gran valor. Sin embargo, una cafetería estadounidense en una ciudad italiana no atraería demasiado a los italianos, que se enorgullecen de la forma en la que preparan el café.

☐ ¿La estrategia permite al misionero mantener su integridad y actuar con sabiduría? La estrategia debería permitir al misionero seguir a Jesús y hacer discípulos de forma transparente, pero también debería permitirle tener influencia en la sociedad. La influencia podría ejercerla desde una posición de autoridad o desde una posición humilde de servicio.

☐ ¿La estrategia facilita una interacción estrecha y sostenida en el tiempo con nacionales no creyentes? Algunos caminos alternativos solo nos proporcionan acceso. En sí, eso ya es importante y puede ser razón suficiente para optar por un camino alternativo. Sin embargo, cuando una estrategia proporciona acceso e interacción con la gente de manera regular, entonces pueden darse oportunidades de prediscipulado donde los perdidos pueden empezar a observar y considerar el evangelio. Si una estrategia genera situaciones donde de forma natural se dan conversaciones centradas en Cristo, entonces esa sería una aproximación óptima.

☐ ¿La estrategia tiene un impacto positivo, teniendo en cuenta el objetivo de la misión? Esta pregunta es muy similar a la anterior, pero sigue siendo importante. Si el camino que estás considerando no facilita la interacción con nacionales no creyentes, entonces tendrás que decidir cuánto tiempo dedicarás a esa responsabilidad. Si inviertes 40 horas a la semana en un trabajo que no te ayuda a iniciar relaciones personales con los perdidos, ¿cuánto tiempo podrás dedicar a la misión? ¿Qué pasa si el trabajo supone 50 o 60 horas a la semana? En mi experiencia, la mayoría de trabajos proporcionan cierto grado de interacción. Sin embargo, hay tareas como la introducción de datos que limita el tiempo que pasamos con los demás. También, las compañías cada vez tienen más normas que prohíben el proselitismo y la plantación de iglesias. Por lo general, es posible cumplir las normas y a la vez hacer la misión. No obstante, esto es algo que el misionero y la iglesia que lo envía deben poner en oración.

Antes de empezar a caminar por un camino alternativo, considera las siguientes preguntas:

☐ ¿La iglesia que me envía está de acuerdo en el camino alternativo? Esto implica dedicar tiempo a compartir la visión, pero si la iglesia y la agencia misionera (en el caso de que haya agencia misionera) no apoyan el camino alternativo, el misionero deberá reconsiderar la estrategia.

☐ ¿El misionero, el equipo misionero o la iglesia poseen la experiencia y los recursos necesarios para hacer viable el camino alternativo?

Sin la competencia necesaria, los proyectos misioneros alternativos suelen acabar mal. Como representantes de Cristo, debemos buscar la excelencia en todas las áreas para que Su gloria sea conocida. Debido a que hacemos todo para la gloria de Dios, los esfuerzos hechos en aras de la misión deben reflejar la gloria de Dios por medio de la excelencia en áreas como la producción y los servicios.

☐ Si soñamos con un movimiento autóctono, ¿el modelo de hacer discípulos que vamos a enseñar es reproducible? No es tanto si la estrategia es reproducible o no; lo realmente importante es que el proceso de hacer discípulos no dependa demasiado de la estrategia. Por ejemplo, si el misionero escoge el camino alternativo de establecer un servicio de ayuda humanitaria, la forma en la que enseñará a los discípulos a hacer discípulos es de suma importancia. Si el proceso de hacer discípulos solo tiene lugar cuando se distribuyen alimentos, los cristianos autóctonos no harán discípulos cuando la ayuda humanitaria cese.

☐ ¿He buscado el consejo de otras personas con más conocimiento que yo sobre estrategia o misión? La sabiduría que encontramos en la iglesia puede servir para encontrar un camino alternativo más equilibrado y realista.

☐ ¿Existe una forma más sencilla de alcanzar los objetivos que aún no hemos intentado? Antes de empezar a caminar, deberíamos considerar todos los caminos tradicionales o los caminos alternativos más sencillos.

El proceso de escoger el camino alternativo puede resultar abrumador. Y es bueno que seamos conscientes de ello. Sin embargo, cuando trabajamos en comunidad, cuando trabajamos con personas que tienen experiencia en procesos similares, el proceso de soñar puede ser muy divertido y puede ser más rápido de lo que te imaginas. A lo largo de este viaje, sigue buscando la guía del Espíritu. Es esencial en cualquier esfuerzo misionero —de principio a fin.

PROTEGIENDO LO AUTÓCTONO

[Capítulo 10]

Larry E. McCrary

Aquella mañana nublada de domingo llegamos a la iglesia temprano. Un ujier entusiasta nos entregó los boletines y nos acompañó hasta la parte delantera del lado izquierdo de la sala, cerca del órgano. Poco después de sentarnos, los miembros del coro, vestidos con túnicas de colores, se acomodaron en silencio en el balcón que quedaba sobre el órgano. Acto seguido, el pastor y dos diáconos tomaron sus posiciones mientras la organista nos obsequiaba con su interpretación favorita de *Fuente de la vida eterna*. La sala se empezó a llenar de hombres bien vestidos con sus trajes y corbatas y de mujeres engalanadas con sus mejores vestidos. Cuando el preludio musical concluyó, el pastor se dirigió hacia el púlpito y saludó cordialmente a la congregación dándonos la bienvenida a la iglesia.

Probablemente puedas imaginártelo. Probablemente puedas visualizar esos rostros, que escuchan el tono melodioso del órgano y reconocen la voz del pastor. La mayoría de los que leerán este libro lo habrán experimentado. En muchas ocasiones. La diferencia entre esta historia y la que tú conoces es que esta no es la Primera Iglesia de cualquier ciudad de Estados Unidos. No. Se trata de una iglesia de una gran ciudad de Asia. En una ciudad donde la lengua principal es el chino mandarín, el pastor enseña en un inglés con un fuerte acento a una congregación que se esfuerza por entenderlo.

Este hecho no es un caso aislado. En todo el mundo hay iglesias que funcionan de esta manera. Iglesias que han importado los himnos, la arquitectura y las decoraciones de las iglesias de EE. UU. y que hacen el servicio dominical en inglés. Muchas veces, la cultura del país anfitrión no está presente en el culto de adoración porque ha sido reemplazada por la cultura eclesial estadounidense de mediados del siglo XX. Los creyentes locales a menudo no tienen la libertad de desarrollar una expresión autóctona (culturalmente apropiada) de la iglesia.

El problema con este tipo de enfoque es que las iglesias y los misioneros están poniendo una barrera al evangelio porque imponen una cultura que no tiene nada que ver con él. Al incluir el inglés y las costumbres de la iglesia estadounidense en un ambiente claramente no estadounidense, el misionero está diciendo —aunque no sea su intención— que quien quiera ser cristiano debe comportarse como un estadounidense. Por lo tanto, es imprescindible que los misioneros protejan la autoctonía haciendo una buena exégesis cultural y discerniendo cómo debería ser la iglesia en ese contexto.

Autóctono

"Autóctono" es un término agrícola que significa "generado dentro o capaz de nacer dentro del contexto local".[155] Una planta es autóctona si nace en el lugar donde se encuentra. Un antónimo sería "exógeno", que significa "formado fuera del entorno local; extraño, de origen externo".[156] Una especie trasplantada es exógena. A lo largo de muchas carreteras del este de Tennessee hay pinos blancos americanos y arces plateados. Eso es un ejemplo de flora autóctona. Esas especies crecieron ahí de forma natural. Pero en otras carreteras de esa misma zona se ven hileras de *koas* hawaianas (un tipo de acacia) y de palmeras. Esas plantas no crecieron ahí de forma natural y por eso las identificamos como flora exógena.

La horticultora Paola Zannini describe las plantas autóctonas norteamericanas como aquellas que crecían en Norteamérica antes de la colonización europea. Señala que las ventajas de las plantas originarias son obvias. "Las plantas originarias, una vez establecidas, se adaptan mejor a nuestros jardines y contribuyen a crear un hábitat ideal para la fauna deseable, como mariposas y pájaros".[157] En otras palabras, los jardines de flora autóctona prosperan más fácilmente que los que están formados por flora exógena.

Zannini ofrece algunos pasos importantes para el cultivo de plantas autóctonas. Entre otras cosas, sugiere que los jardines deben reflejar el entorno natural en el que se encuentran. Una vez que se haya creado ese hábitat, se debe cuidar de las plantas hasta que estén bien establecidas y puedan soportar condiciones climáticas extremas.[158]

Estas lecciones sobre la autoctonía procedentes de la horticultura son relevantes para la misión, particularmente cuando plantamos iglesias entre otros pueblos y dentro de otras culturas. Las iglesias autóctonas son comunidades originarias de la tierra donde están, tierra en la que pueden crecer, prosperar y reproducirse.

Por eso mismo, las iglesias que plantamos deben reflejar la cultura a la que pertenecen. Esa gente tendrá suficiente con entender las profundidades del pecado, la gracia y la redención. ¡No podemos imponerles la tarea adicional de aprender una nueva cultura! En cualquier cultura, la propia transmisión del evangelio se enfrentará a condiciones extremas y los nuevos creyentes necesitarán ayuda —discipulado— para entender que el evangelio es contrario a partes de su cultura.

La manera más efectiva de sembrar el evangelio en una nueva cultura es estar lo más libre posible de la influencia cultural externa. El misionólogo Ed Stetzer escribió que la tarea de la misión es trasplantar el evangelio a una nueva comunidad de tal forma que la iglesia pueda llegar a verse como "originaria" de ese lugar.[159]

Si la meta final de nuestra labor misionera es establecer iglesias autóctonas que crecen y se reproducen, entonces debemos proteger la autoctonía de las iglesias que nacen en los lugares a los que hemos sido llamados. En esas iglesias autóctonas la gente del lugar se sentirá cómoda y libre para explorar el evangelio y el cambio de vida que lo acompaña, sin el peso de tener que aprender otra cultura para poder entenderlo.

Fachadas

En abril de 2011 viajé a Lima, Perú, para una serie de reuniones con misioneros de todo el mundo. Como suelo hacer, llegué un día antes para explorar la ciudad. Era la primera vez que visitaba esta hermosa ciudad de Sudamérica y estaba emocionado por experimentarla y conocer a su gente.

Al haber vivido en Europa Occidental durante los últimos diez años, me he acostumbrado a entrar en los viejos edificios de las iglesias. Europa está llena de catedrales y capillas: grandes, hermosas y misteriosas. Ahora, muchas se han convertido en museos, galerías de arte, pubs, discotecas o incluso mezquitas.

Mientras caminaba por Lima me topé con iglesias que me hicieron sentir como si me hubieran transportado de vuelta a España. Las fachadas de las iglesias eran muy parecidas, como si hubieran sido diseñadas por el mismo arquitecto hace siglos. El interior también era muy parecido, aparte de los iconos y las estatuas.

En el siglo XV, los españoles llegaron a Sudamérica trayendo consigo el colonialismo europeo, y la arquitectura española de esas iglesias es un reflejo de ello. Es como si España se hubiera mudado a Sudamérica, construyendo cultura —iglesias incluidas— como si estuvieran en la madre patria.

Obviamente, en Sudamérica había varios pueblos y culturas antes de que llegaran los españoles. Al igual que en otras colonizaciones, la cultura española se consideraba cristiana y las culturas indígenas fueron tachadas de paganas. Los españoles comenzaron la evangelización cristiana española y construyeron iglesias españolas, ignorando los elementos culturales de los pueblos que estaban evangelizando.

Los católicos españoles no fueron los únicos en exportar su cultura religiosa en nombre de la misión. Encontramos ejemplos similares en las misiones evangélicas de los últimos 50 años. Los efectos de exportar una cultura religiosa son obvios: predicadores de tribus africanas que piensan que deben llevar traje y corbata para predicar, y países en desarrollo donde la gente vive en chozas, pero adoran en iglesias construidas siguiendo la arquitectura del sur de los EE. UU. Es bastante común que las iglesias exporten su modelo de iglesia a otra ciudad y contexto en el extranjero.

Una iglesia quería ayudar a un misionero a alcanzar la ciudad donde había ido a servir. Para ello, decidieron iniciar un servicio religioso innovador. Parte de la estrategia de aquella iglesia era meter todo lo que iban a necesitar, incluyendo sillas y equipo de sonido, en un contenedor y enviarlo a Europa.

Incluso se ofrecieron a traducir los videos de su pastor cada semana para que pudieran reproducirlos en el servicio. Creían que todo lo que el misionero necesitaba hacer era encontrar un lugar atractivo y encender el DVD.

Sin duda las intenciones de aquella iglesia eran buenas, pero comenzaron con una suposición errónea: si funciona aquí, es bueno para cualquier lugar del mundo. Con esa mentalidad, el siguiente paso lógico fue exportar su producto bueno y útil. El problema es que no tuvieron en cuenta el contexto cultural, y eso siempre es una gran barrera para el evangelio.

Mi viaje a Europa en 2001

Cuando uno se muda al extranjero, ya sea para trabajar en su profesión o como obrero cristiano a tiempo completo, se enfrenta a la decisión de qué va a llevarse para comenzar su nueva vida. Muchos eligen venderlo todo y comprar muebles, ropa y suministros una vez que llegan a su nuevo país. Este proceso puede ser útil para sumergirse de forma inmediata y total en la nueva cultura, pero puede ser muy costoso y abrumador.

Otros eligen embalar sus pertenencias y enviarlas a su nuevo hogar. Este acercamiento conlleva ciertos beneficios. Los artículos costosos ya están pagados, lo que permite ahorrar tanto en recursos económicos como en tiempo dedicado a la compra de nuevos artículos. Además, conservar el mobiliario que ha formado parte de la vida de una persona le dará al nuevo hogar cierto toque de familiaridad.

Cuando mi familia y yo nos preparamos para mudarnos al extranjero en 2001, empezamos a sopesar las diferentes opciones. Sabíamos que nuestra nueva casa sería más pequeña, pero no teníamos ni idea de cuánto espacio habría en cada habitación. No sabíamos si habría sitio para nuestra cama de matrimonio extra grande, o si tendríamos espacio para el piano que yo había heredado.

Como el dólar estadounidense estaba en una mejor posición que el euro en ese momento, decidimos vender todos nuestros muebles y comprar nuevos una vez llegáramos a España. Estábamos muy orgullosos de nosotros mismos por haber tomado la decisión intencionada de ser europeos y empezar de cero. También teníamos muchas ganas de ir a IKEA.

Entonces nos dimos de bruces con la realidad. Teníamos que reducir todas nuestras pertenencias a las trece piezas de equipaje que nos permitía la aerolínea. Lo colocamos todo en el suelo del sótano de mis padres y empezamos a reducir. En seguida nos dimos cuenta de cuál había sido nuestro descuido: ¿Qué haríamos con todos nuestros libros? En una época donde aún no había Kindles, iPads y Nooks, no tenía ni idea de cómo iba a transportar a Europa toda mi biblioteca de libros sobre plantación de iglesias. Esos libros habían revolucionado la manera en la que habíamos plantado iglesias en los Estados Unidos. ¿Cómo podría sobrevivir sin ellos en mi nuevo contexto?

El Servicio Postal de los Estados Unidos nos dio la solución. Podías enviar una caja de hasta 23 kilos por 30 dólares. Con nuestro apretado presupuesto pudimos enviar cinco cajas. Como buen padre y esposo, le dije a mi familia que cada uno de ellos tendría una caja y yo dos. Después de todo, el movimiento de plantación de iglesias en Europa dependía completamente de mis recursos y habilidades. Mi familia llenó sus cajas con libros y videos de los Veggie Tales, Star Wars y Disney y con algunos recuerdos, y yo llené las mías con mis recursos sobre plantación de iglesias y algunos comentarios.

Sabía que las cajas tardarían unos 30 días en llegar, así que las envié con tiempo suficiente para que llegaran a la vez que nosotros. Mi plan era casi perfecto. Cuando llegamos a España, había dos cajas esperándonos, una llena con las pertenencias de mi hijo y la otra con las de mi hija. Comenzamos a instalarnos en nuestra nueva casa, en la que no habría cabido nuestra cama extra grande, y esperamos ansiosos la llegada de las otras cajas. Un año más tarde, una caja llena de devocionales para mujeres apareció en la casa de mis padres en Estados Unidos. Era la caja de mi esposa.

En el momento en el que escribo estas líneas han pasado casi once años y todavía estoy esperando mis dos cajas de libros sobre plantación de iglesias. No obstante, yo sigo cruzando los dedos. ¡Todavía hay esperanza para ese movimiento de plantación de iglesias en Europa!

A menudo me preguntaba cuál era el gran propósito de Dios detrás de aquella pérdida. Creo que ese percance tuvo al menos un par de resultados positivos. Primero, como todos mis libros en inglés habían desaparecido tuve que centrarme en aprender español, que es realmente en lo que necesitaba centrarme. Más importante aún: como no tenía mis libros sobre plantación de iglesias, tuve que apoyarme exclusivamente en las Escrituras y en la dirección del Espíritu. Durante aquel tiempo me di cuenta de lo mucho que habíamos dependido de los programas y las metodologías para plantar iglesias.

Utilicé mis circunstancias como una oportunidad para empezar de nuevo. Empecé a leer el libro de Hechos desde una perspectiva nueva, un contexto cultural nuevo. Simplemente no pude trasladar mis métodos estadounidenses de plantar iglesias a una cultura diferente. Tuve que aprender el idioma y la cultura para poder entender cómo aplicar el evangelio y cómo hacer iglesia en aquel contexto. Aunque no lo verbalicé así, la realidad es que pasé de plantar iglesias con formato estadounidense a permitir que el evangelio transformase vidas en el contexto español. De esa tierra surgiría una iglesia profundamente arraigada en la cultura, surgiría algo autóctono. Para ser cristianos, no haría falta que la gente se comportara como estadounidenses.

Iglesias autóctonas

El misionero británico Roland Allan escribió que "una iglesia autóctona, joven o antigua, en Oriente o en Occidente, es una iglesia que, arraigada en la obediencia a Cristo, usa espontáneamente formas de pensamiento y modos de acción que son naturales en su propio ambiente". El misionólogo Allen Tippet añadió: "Cuando las personas de una comunidad piensan en el Señor como propio, no como un Cristo extranjero; cuando hacen las cosas como si fueran para el Señor, satisfaciendo las necesidades culturales que les rodean, adorando con patrones que entienden; cuando las congregaciones de esa comunidad forman parte de un cuerpo cuya estructura es autóctona; entonces, tienes una iglesia autóctona".[160]

Como vemos en estas definiciones, las iglesias autóctonas están enraizadas en el contexto cultural en el que nacen, y sus prácticas de adoración incluyen el pensamiento y las acciones características de su cultura. En particular, la definición de Tippet explica por qué lo autóctono es importante: ayuda a la gente a ver a Cristo como su propio Señor, no como un Dios extranjero. No ven a Cristo como el Dios de una gente completamente diferente a ellos, sino como el Dios que realmente es: el Dios de todos los pueblos del mundo.

Por lo tanto, las iglesias autóctonas son increíblemente importantes para la misión. Estas viven y adoran de una manera comprensible para las culturas en las que están. Las barreras culturales que existen, por ejemplo, entre esas culturas y una iglesia estadounidense, no existen en las iglesias autóctonas. En resumen, cuando las iglesias autóctonas hacen la misión en su propia cultura, no tienen las trabas de las diferencias culturales y muestran la clara diferencia que hay entre las personas transformadas por el evangelio y las que no. El poder transformador del evangelio no se ve obstaculizado por las barreras culturales.

Una iglesia no es autóctona simplemente por la persona que la ha plantado. Cuando decimos que es autóctona nos referimos a la naturaleza de la iglesia como un todo y no tanto a quién fue el plantador. No obstante, el plantador influye en la iglesia al igual que el horticultor influye en el crecimiento de las plantas. Observa la situación hipotética que Ed Stetzer plantea:

> Un plantador de iglesias [en Chicago] puede ser de Chicago, pero si la iglesia depende de ofrendas de Alabama, ha adoptado un estilo de alabanza como el de Alabama y se reúne a la hora que los granjeros de Bessemer, Alabama, propusieron hace 100 años, la iglesia no será autóctona de Chicago (aunque bien podría serlo de Bessemer). El origen del plantador de la iglesia no es el factor que determina si la iglesia es autóctona o no. El factor que lo determina es la naturaleza de la iglesia. Lo más probable es que una persona de Chicago dirija una iglesia autóctona porque él se ha criado en esa zona. Sin embargo, si la naturaleza de su formación o de las influencias que ha recibido no es autóctona, el plantador podría empezar una iglesia que no encajará en la cultura local.[161]

Si llevamos esta idea a su conclusión lógica, una iglesia autóctona es la prueba de que el evangelio se encarna dentro de un contexto cultural concreto. La falta de expresiones autóctonas y la presencia de expresiones foráneas demuestran una falta de conocimiento cultural y de interés por la población local. Para ir a "todas las naciones", tal como dice la Gran Comisión, tenemos que plantar el evangelio inmutable en tierras donde aún no ha sido plantado, y dejar que eche raíces.[162]

¿Cómo protegemos lo autóctono?

En su libro *Missionary Methods: St. Paul's or Ours?*, Roland Allen desafió a la iglesia a defender lo autóctono. Además, enumeró cinco formas en que los misioneros pueden proteger la autoctonía.

☐ Las enseñanzas deben ser comprensibles y claras para que quienes las escuchen puedan retenerlas, usarlas y transmitirlas.
☐ Las iglesias y organizaciones en la nueva cultura deben establecerse de tal manera que los cristianos nacionales puedan mantenerlas.
☐ Las finanzas de la iglesia deben provenir de los miembros de la iglesia local y estar controladas por ellos mismos.
☐ Hay que enseñar a los cristianos que el cuidado pastoral es responsabilidad de todos y que deben cuidarse los unos a los otros.
☐ Los misioneros deben dar a los creyentes nacionales autoridad para ejercer sus dones espirituales libremente e inmediatamente.[163]

Al leer estos cinco pasos prácticos para proteger lo autóctono, veo cinco principios subyacentes que debemos tener en cuenta mientras desarrollamos nuestra estrategia misionera.

Entendiendo el contexto cultural

Cuando queremos presentar el evangelio en un contexto cultural concreto, entender la cultura es una prioridad. Cuando, para llegar a ser creyente, la gente debe abandonar su valiosa identidad cultural y adoptar una cultura ajena, la causa de la plantación de iglesias no irá muy lejos. Alrededor del mundo, muchas iglesias que parecen no encajar en el entorno donde están sirven como testimonios de este obstáculo. En demasiados casos, la plantación de iglesias se ha convertido en una guerra cultural, en la que los misioneros y los cristianos locales intentan conquistar y cambiar la cultura en vez de los corazones de la gente. Cada vez que, para llegar a ser cristiano, alguien tiene que convertirse en ruso, estadounidense, europeo, o adoptar cualquier otra cultura distinta a la suya, hay muy pocas posibilidades de que el movimiento se extienda rápidamente entre ese grupo de personas.

El relato de Lucas sobre los judaizantes que aparece en Hechos 15 tiene mucho que decirnos. "Algunos que habían llegado de Judea a Antioquía se pusieron a enseñar a los hermanos: 'A menos que os circuncidéis, conforme a la tradición de Moisés, no podéis ser salvos'" (Hechos 15:1). Esos creyentes leales a sus tradiciones judías les estaban diciendo a los gentiles que debían circuncidarse para poder seguir a Jesús. De ese modo, estaban estropeando lo que Dios estaba haciendo entre los conversos gentiles, pues estaban añadiendo requisitos no bíblicos para ser un seguidor de Cristo.[164]

Reproduciendo discípulos

Mi primera experiencia plantando una iglesia fue en los Estados Unidos. Mirando atrás, lo que veo es que, en vez de plantar iglesias, mi equipo y yo nos volvimos unos expertos en plantar servicios religiosos. Atraíamos a mucha gente con nuestro increíble grupo de alabanza, los vídeos que encajaban con el tema, las actuaciones que creaban un ambiente perfecto para el mensaje que venía después, y una predicación súper relevante. Valorábamos mucho la excelencia y lo demostrábamos a través de un servicio de guardería de calidad, un equipo de bienvenida súper amable, una buena señalética y un café exquisito.

La mayor parte de nuestra atención se centró en la reunión del domingo. Se convirtió en el punto de partida de cada proyecto en lugar de ser una celebración de lo que estaba sucediendo a lo largo de la semana. Como resultado, invertimos la mayor parte de nuestro tiempo y recursos en lograr que la experiencia del domingo fuera significativa y nos quedamos cortos con el discipulado. En pocas palabras, nos enfocamos en producir servicios religiosos de calidad en lugar de reproducir discípulos. En vez de entender la cultura y las necesidades de la gente, y permitir que el evangelio respondiera a esas necesidades, diseñamos cultos e invitamos a todo el mundo a asistir.

Desde que me mudé al extranjero, regularmente he enviado cartas a las personas que nos apoyan en Estados Unidos para compartir motivos de gratitud y peticiones de oración. Al principio casi nadie respondía a las cartas, hasta que en una ocasión conté que había predicado en una iglesia. Llevaba alrededor de un año en España y me había costado aprender el idioma. Finalmente, después de hacer algunos progresos, me invitaron a predicar a una iglesia local. Después de enviar la carta hablando de la oportunidad que había tenido de predicar, empezaron a llover respuestas entusiastas de personas que se alegraban porque por fin había podido empezar mi trabajo como misionero y proclamar el evangelio.

Sé que ninguna de esas personas creía que lo que había estado haciendo antes era menos importante, pero su entusiasmo por mi participación en un servicio dominical reveló cuáles eran sus expectativas reales en cuanto al trabajo que yo debería estar haciendo. Cuando se enteraron de que había predicado, tenían algo tangible a lo que aferrarse. Sus respuestas a mi carta evidenciaron el énfasis que hemos puesto históricamente en el servicio dominical. No tenían un marco para entender el proceso de aprendizaje de la cultura o que se puede hacer discípulos fuera del contexto de la reunión del domingo.

La reunión del domingo es importante, buena y necesaria; pero algo anda mal cuando ponemos tantos esfuerzos en ella en detrimento de la misión en la cultura que nos rodea. Además, ese desequilibrio suele producir iglesias que reflejan las preferencias culturales de unos pocos en lugar de reflejar las reacciones de la gente autóctona que está conociendo a Cristo como Señor.

 Sin embargo, hay otra manera de plantar iglesias; consiste en incluir la cultura en la ecuación y, como resultado, las iglesias reflejarán esa verdad. Si plantamos el evangelio en una cultura y permitimos que esa cultura moldee a las iglesias mientras estas crecen dentro de su propia cultura y no alejadas de ella, surgirán iglesias autóctonas en torno a esos discípulos. Nuestra tendencia al discipulado "extraccional" es un obstáculo para el proceso.[165] Aquí incluyo una fórmula sencilla para plantar iglesias autóctonas:

plantar el evangelio en una cultura + hacer discípulos dentro de esa misma cultura = iglesias autóctonas

Es posible que misioneros de otras culturas lleguen a plantar iglesias autóctonas, pero requiere de una humildad poco común. Tenemos que aprender a estar en segundo plano. Antiguamente, en las obras de teatro solía haber un violinista en el escenario para ponerle música a la historia. Entre bastidores siempre había un segundo violinista al que el público no podía ver, que tocaba tan bien como el violinista principal. Si al violinista del escenario se le rompía una cuerda, el violinista de apoyo comenzaba a tocar y el violinista principal seguía haciendo como que era él quien tocaba. El público no se enteraba de que había un segundo violinista, y este no recibía ningún reconocimiento por su actuación.[166]

En el proceso de hacer discípulos, los misioneros deberían asumir el papel del segundo violinista. Hace varios años, el misinólogo David Garrison escribió *Church Planting Movements* basándose en una investigación sobre multiplicación de iglesias alrededor del mundo y los principios básicos detrás de esa multiplicación. En el libro, Garrison señala que los misioneros deberían mantener un perfil bajo mientras buscan iniciar y nutrir el movimiento. El misionero plantador de iglesias debe minimizar lo foráneo y alentar lo autóctono mentoreando a los pastores desde detrás del escenario.[167]

Para aquellos que crecieron en una cultura occidental que ensalza a las *celebrities* —influencia que también ha llegado a las iglesias, donde tenemos nuestras propias *celebrities*—repensar y reorganizar las prioridades lo suficiente como para asumir un papel secundario puede ser una tarea difícil. Sin embargo, si lo hacemos, allanaremos el camino para que surjan líderes autóctonos que lideren las expresiones locales de la Iglesia.

Formando líderes

Las organizaciones misioneras tienen un acróstico para casi todo. Un ejemplo es el acrónimo MAOS, que se usa para hablar de la formación de líderes. Este acrónimo define una forma concreta de formar a líderes:

> **Modela**—Sé modelo de cómo se hacen las cosas y toma tiempo para explicarles todas las partes del proceso, desde qué es lo que estás haciendo hasta por qué lo estás haciendo.

> **Ayuda**—Deja que ellos hagan el trabajo y ayúdales solo cuando sea necesario. También, ofréceles asesoramiento en tiempo real.

> **Observa**—Obsérvalos mientras lideran y ofrece el *feedback* necesario.

> **Suelta**—Identifica a otro líder potencial y repite el proceso.[168]

El formador y estratega misionero Curtis Sergeant enseña que MAOS es el ritmo de discipulado que contribuye a que surja un Movimiento de Plantación de Iglesias (MPI). Siguiendo este modelo, el misionero enseña al nuevo creyente a plantar iglesias que formarán parte de un movimiento (MPI), observa para asegurarse de que los creyentes y las iglesias se están reproduciendo, y luego les deja para comenzar el ciclo de nuevo. Sergeant compara el modelo MAOS con enseñar a un niño a montar en bicicleta. El padre "ofrece un modelo mostrándole cómo monta en bicicleta, ayuda al niño sosteniendo la bicicleta mientras aprende a montar, observa mientras el niño monta en bicicleta sin ayuda, y por último deja que el niño vaya en bicicleta por su cuenta".[169]

En los Evangelios, vemos que Jesús adopta un modelo similar. Llamó a los discípulos, les enseñó, ministró a su lado, los envió, y por último les dejó para que, en Su ausencia, pudieran hacer cosas más grandes de las que habrían hecho estando Él presente (Juan 14:12; 16:7-11). Ese es el ejemplo que deben seguir aquellas personas que están discipulando con el objetivo de ver expresiones autóctonas de la Iglesia. El misionero que asume el rol del segundo violinista y que finalmente marcha del teatro ha encontrado la manera más eficiente de preparar a líderes autóctonos mientras estos mantienen su identidad cultural.

David Watson, misionero y formador de plantadores de iglesias, describió el paso final y probablemente el más difícil de MAOS:

> Si el plantador de iglesias ha hecho su trabajo, entonces la iglesia ha visto en él un modelo de vida y de liderazgo cristiano maduro. El plantador de iglesias ha equipado a la iglesia para manejar la Palabra de Dios, orar y escuchar al Espíritu de Dios, y servir a la gente que hay a su alrededor. A medida que emergen nuevos líderes, el plantador de iglesias los ve liderar y cometer errores, los ayuda a recuperarse de los errores escuchando la Palabra de Dios y a Su Espíritu, y los ve madurar. Y en el momento propicio el plantador de iglesias se va, sabiendo que la iglesia está en buenas manos, las manos del Espíritu Santo.[170]

Otro término usado en las conversaciones sobre estrategias para la plantación de iglesias es "estrategia de salida". Es decir, cuando el misionero marcha, ha hecho lo necesario para que la obra se sostenga, se reproduzca y prospere. Aunque a veces la estrategia incluye una fecha concreta en el futuro, a menudo tiene más que ver con lo que el misionero hace y no hace intencionalmente, mientras ofrece un modelo de cómo hacer el trabajo, ayuda al nuevo líder autóctono y le transmite un conocimiento que le será muy útil.

Aquí vemos de nuevo la necesidad de ser humildes y recordamos la enseñanza de Jesús de que nuestro propósito es servir (Marcos 10:43-44). En la iglesia misionera, donde equipamos a la gente y la enviemos por causa del evangelio, marchar o ver cómo otros marchan es una realidad. Cuando formamos adecuadamente a los líderes, están preparados para llevar el evangelio transformador a su cultura y hacer discípulos de su Señor.

Reproducibilidad

La capacidad de una iglesia de reproducirse es extremadamente importante si queremos que el evangelio siga llegando a las personas que aún no conocen a Jesús. Los organismos vivos se reproducen. Las iglesias son organismos vivos y deben multiplicarse. Queremos ver iglesias que planten iglesias que, a su vez, planten iglesias. Para medir la reproducibilidad de la iglesia, los estrategas de la misión usan una herramienta muy conocida llamada "Fórmula de los tres *auto*".[171] Esta fórmula lleva usándose más de 150 años y los primeros en implementarla fueron Henry Venn y Rufus Anderson, miembros del comité ejecutivo de las agencias misioneras más importantes de su tiempo. Define a la iglesia madura/autóctona como una iglesia que se autogobierna, se autopropaga y se autosostiene: los tres *auto*.

El misionero Douglas Hayward escribió que una de las características atractivas de esta fórmula era su simplicidad.

> Los misioneros podían contar el número de pastores, evangelistas y líderes de iglesia que operaban de forma autónoma, dirigían sus propias iglesias y proclamaban el evangelio a su propia gente. Pero, aunque servía para ver si el misionero había logrado su triple objetivo, la fórmula de los tres *auto* no medía la autoctonía. Lo que medía, principalmente, era el grado de independencia. A pesar de lograr los tres *auto* de la fórmula, una iglesia podía seguir siendo una organización extranjera con un mensaje foráneo.[172]

Durante mi tiempo en España conocí a un pastor español que lideraba una "plantación de iglesia", o así la llamaba él, en una ciudad de la costa. Como nunca había oído que en esa ciudad hubiera una plantación, me sorprendió y empecé a hacerle algunas preguntas. Cuando me habló de la historia de la iglesia, dijo que en realidad tenía 20 años de antigüedad. Me chocó que aún la viera como una plantación o punto de misión, así que me explicó que, en su denominación, un grupo debía poder autofinanciarse, autogobernarse, poseer un edificio y tener 50 miembros para poder ser iglesia. Como tenían una membresía de 47 miembros no cumplían con los requisitos, por lo que, aun después de 20 años, se les seguía considerando un punto de misión. Con unos requisitos así era casi imposible que una iglesia se reprodujera dentro de esa cultura.

La iglesia misionera debe evaluar cuidadosamente los requisitos que se autoimpone si no quiere frenar la reproducibilidad. En la mayoría de los casos, las medidas importadas no son realistas. Una vez oí a un experto norteamericano en plantación de iglesias decir a un grupo de plantadores de Europa Occidental que tenían que recaudar 150.000 euros antes de poner en marcha sus cultos del domingo. Aunque ese número puede ser parte del modelo norteamericano para plantar iglesias de alto impacto, no es tan realista en una cultura que no tiene la misma cantidad de recursos que la iglesia norteamericana. Por no mencionar que abrir una iglesia enorme centrada en programas puede no ser el mejor modelo para el contexto de la Europa Occidental. Uno de los peligros de ese mensaje fue que los creyentes locales oyeron que necesitaban mucho dinero para comenzar una iglesia. Muchos se fueron desanimados porque sabían que no podían conseguir esa cantidad de dinero. Este tipo de requisitos impuestos impiden que las iglesias se reproduzcan.

David Garrison habla de los efectos de imponer requisitos extrabíblicos para ser iglesia:

> Cuando una agencia misionera, una denominación o convención exige a una congregación cosas extrabíblicas —tierras, un edificio, un liderazgo con formación teológica o un sueldo para el pastor— antes de otorgarle el estatus de iglesia, está obstaculizando el surgimiento de un movimiento de plantación de iglesias. Los cristianos pueden tener la mejor de las intenciones cuando imponen condiciones previas a una iglesia que se quiere constituir de forma oficial, pues normalmente esas condiciones tienen el objetivo de asegurar la viabilidad de la iglesia una vez sea independiente. Sin embargo, requisitos como un edificio en propiedad y un sueldo para el pastor pueden convertirse rápidamente en una piedra de molino atada al cuello de la iglesia y hacer que esta nunca llegue a reproducirse.[173]

Entre los misioneros norteamericanos encontramos dos puntos conflictivos que afectan la reproducibilidad. En primer lugar, valoramos demasiado la excelencia. A menudo el nivel de excelencia que el liderazgo de la iglesia busca requiere de una profesionalidad que solo se logra con muchos recursos económicos y personal altamente cualificado. Como resultado, no aprovechamos las oportunidades de ministerio que no cumplen con el requisito extrabíblico de la excelencia y no equipamos ni involucramos a las personas con dones, pero sin formación profesional. A veces exigimos esta búsqueda de la excelencia en nuestros esfuerzos misioneros en el mundo y en las iglesias que plantamos, perjudicándolas desde el principio porque en ese tipo de iniciativas misioneras normalmente no hay recursos para mantener tal nivel de excelencia.

El segundo punto conflictivo es nuestro pragmatismo excesivo. La excelencia y el pragmatismo están relacionados porque, cuando las iglesias se esfuerzan por alcanzar la excelencia, siempre están buscando el mejor método o el enfoque pragmático de otras iglesias para lograr lo que sea que están intentando lograr. Con demasiada frecuencia, el resultado es una iglesia o liderazgo que cree que su manera de hacer es la más eficaz, y entonces trasladan su enfoque pragmático a otros contextos sin tener en cuenta las diferencias culturales. Este enfoque es irresponsable en el mejor de los casos y peligroso en el peor, y no genera reproducibilidad.

Evitar la dependencia

Los misioneros desean que la iglesia que han plantado se reproduzca, pero a menudo las iglesias que apoyan ese proyecto dan de una manera poco saludable. Aunque esas iglesias lo hacen con las mejores intenciones, un apoyo excesivo crea una dependencia insana de esos recursos externos y pone fin a cualquier esperanza de que la nueva iglesia se reproduzca. Las iglesias deben orar en cuanto a la colaboración y el apoyo que dan, incluyendo las decisiones sobre los recursos que van a donar. Ofrecer ese tipo de cosas no siempre es malo, pero las iglesias, en su celo por servir y dar, fácilmente pueden provocar que los proyectos misioneros que apoyan se vuelvan totalmente dependientes y no puedan sobrevivir sin los recursos que les envían. Si una iglesia depende del apoyo externo, entonces no es autóctona porque necesita de algo que no encuentra en su propia tierra. En cambio, las colaboraciones en las que todas las partes se benefician mutuamente se basan en conexiones más profundas como un llamado común, visión y expectativas compartidas y un aprendizaje mutuo.

Estos cinco principios nos ayudarán a desarrollar la habilidad de proteger lo autóctono. Queremos que el evangelio se extienda y que no se vea frenado por los requisitos que a veces imponen sus propios mensajeros. Proteger lo autóctono permitirá que la iglesia crezca y prospere fuertemente arraigada en su tierra natal.

PENSAMIENTOS FINALES

[Capítulo 11]

Caleb Crider

Obreros capacitados

La técnica del vidrio soplado es un espectáculo digno de ver. Hace un par de años, mi familia y yo visitamos una feria artesanal y el puesto de los sopladores de vidrio atrajo a una gran multitud. Era como si el calor del horno y el brillo del vidrio fundido tuvieran un poder hipnótico. Los sopladores de vidrio trabajaban en equipo: uno soplaba por el largo tubo mientras el otro daba forma al vidrio que se iba enfriando. La gente se acercó para ver a los artesanos en plena acción. La forma en la que se movían bajo la carpa era como un baile. ¡Hacían que pareciera fácil! Como espectadores, intentábamos adivinar qué forma tendría la figura de vidrio. Los sopladores de vidrio no nos dieron ninguna pista. ¿Era una lámpara? ¿Un plato? No importaba, porque ver a los artistas trabajar ya era sumamente bello. De repente, el producto pasó a un segundo plano.

Ver a los artesanos trabajar era un placer porque estaban poniendo en práctica todo lo que habían aprendido. Formábamos parte de la experiencia, pero tan solo éramos espectadores. Claro que apreciábamos el trabajo que estaban haciendo ante nuestros ojos, pero había algo que les hacía diferentes a nosotros: su habilidad.

Esa es una buena ilustración de los cristianos que viven haciendo la misión. Actualmente, los bancos de las iglesias están llenos de cristianos que son fans de las misiones. Apoyan la obra misionera. Valoran los esfuerzos misioneros. Pero no son más que espectadores. Sin embargo, los hijos de Dios no han sido llamados a ser espectadores; han sido llamados a participar de forma directa en la misión de Dios dondequiera que Él los lleve.

Nuestra visión es que la iglesia haga discípulos que estén equipados para la misión en todo lugar. Cuando el pueblo de Dios piensa y actúa como misioneros, nos identificamos con nuestro Salvador y comenzamos a servir verdaderamente como Sus embajadores en los contextos en los que estamos. Lo que ha faltado en el discipulado de muchas iglesias es esta mentalidad misionera. A pesar de lo que se enseña en las iglesias de todo el país, ser un seguidor de Cristo maduro es más que asumir responsabilidades en los programas y las actividades de la iglesia. Para muchos cristianos, descubrir que han sido salvados con el propósito mayor de participar en la misión de Dios de redimir al mundo es una muy buena noticia. El increíble plan de Dios de usarnos a nosotros, Su pueblo, como medio para comunicar el evangelio a la cultura radica en que nosotros tenemos acceso a la gente. En nuestra vida diaria estamos en contacto con muchísimos no cristianos.

Imagina a un soldado, vestido de uniforme, que va a la guerra con todo el equipo apropiado, pero sin el entrenamiento necesario. Probablemente no cumplirá su misión. De hecho, tendrá suerte si sobrevive. Sin el entrenamiento necesario, ¿realmente podemos considerarlo un soldado? Sería irresponsable que sus superiores lo enviaran.

Hemos escrito este libro con el propósito de equipar al pueblo de Dios para hacer la misión de Dios. Sería irresponsable que animáramos a todos los cristianos a hacer la misión sin presentar el tipo de habilidades que un cristiano necesita para ser un buen misionero. Si las habilidades misioneras fueran una parte vital del discipulado de todos los cristianos, todas las iglesias contarían con un equipo de obreros capaces y dispuestos a servir donde el Señor les pidiera, ya fuera en su propio contexto o en un lugar lejano.

Al incluir un capítulo sobre **la guía del Espíritu**, queríamos mostrar claramente que ser obedientes a Dios en la misión implica seguir Su guía paso a paso. Ese es el ejemplo que nos dejan Pedro, Pablo y el mismo Cristo. Cuando hablamos de este tipo de guía, no nos referimos a una "revelación" más allá de la Escritura. Escuchar al Espíritu Santo forma parte de la relación con Dios. Su guía, en plena conformidad con lo que leemos en la Escritura, nos da dirección en nuestros esfuerzos misioneros. Nuestra esperanza es que el pueblo de Dios en todo el mundo escuche mejor al Espíritu y le obedezca, participando en la misión global de Dios. Esto nos salvará de nuestras propias estrategias y metodologías, y nos liberará del deseo de copiar los modelos y enfoques que han funcionado en otros contextos. No hay mejor manera de encontrar nuestro lugar en la misión que buscar al Espíritu Santo.

De todas las habilidades descritas en este libro, **el mapeo** es probablemente la menos usada en las iglesias locales. La familiaridad nos ha llevado a asumir que conocemos nuestras ciudades y pueblos, pero el paisaje que nos rodea siempre está cambiando. Si vamos a pensar y actuar como misioneros allí donde estamos, debemos conocer bien el terreno investigando quién vive dónde, y observando las divisiones sociales, económicas, espirituales y culturales que existen en nuestra sociedad pluralista. Nuestra oración es que esta habilidad se use en el nivel más local, en los grupos pequeños y las iglesias en casa; que los cristianos estudiemos nuestros vecindarios para conocer a las personas con las que convivimos. A medida que la información que recogemos se añada a la información recogida por otras personas de las iglesias locales, tendremos una imagen más completa del clima social, económico, espiritual y cultural de la ciudad y comprenderemos mejor cómo encarar el evangelio de Cristo en el contexto en el que estamos.

Todos los cristianos somos enviados a la misión, pero se necesita un poco de práctica para poder observar el comportamiento de la gente que nos rodea y discernir cuáles son los puentes y las barreras para el evangelio. Para que la Iglesia pueda unirse plenamente a la misión de Dios, debemos aprender a hacer exégesis de la cultura a la vez que hacemos exégesis de las Escrituras. **La exégesis cultural** es la habilidad que capacitará al pueblo de Dios en todos los rincones de la sociedad para responder de qué forma el evangelio universal e inmutable realmente es buenas noticias para la gente con la que convivimos. La observación experimentada revela incluso la idolatría más "cristianizada". Pone al pueblo de Dios en la mejor posición para proclamar las buenas nuevas de una manera relevante.

Incluir un capítulo sobre **el cultivo de las relaciones** puede parecer demasiado simplista, pero en nuestra experiencia, muchas veces los cristianos simplemente no saben relacionarse con la gente no creyente. Normalmente, los cristianos o estamos en una posición de autoridad o nos aislamos deliberadamente del mundo que nos rodea en nombre de la santidad personal. Estas dos posturas han limitado nuestra capacidad de conectar con la gente. Creemos que las habilidades conversacionales y sociales deben ser parte del discipulado. Todos los cristianos, incluso los que no tenemos don de gentes, podemos aprender a interactuar con los demás de una manera amable y genuina.

El concepto de **personas de paz** no es nuevo y ciertamente no es una idea originariamente nuestra. Para Jesús, la persona de paz es alguien clave cuando envía de Sus discípulos en Lucas 10. Desconfiamos de las fórmulas para "encontrar" a las personas de paz, pero hemos visto que comprender este concepto ha ayudado a muchos misioneros a mirar a las personas con las que interactúan desde una nueva perspectiva. Nos encantaría ver que las iglesias en todo lugar equipan a sus miembros para reconocer que Dios está obrando antes de que lleguemos y que Él provee de "encuentros divinos". Esto ayuda a ver cada interacción con los no creyentes como una reunión de representantes: el creyente es un representante de Cristo que da testimonio a un representante de una tribu social a quien Dios ha preparado previamente.

Algunos no estarán de acuerdo con nuestro tratamiento del **tribalismo social** en el ámbito de la misión. La perspectiva predominante sobre la misión es que la tarea de la iglesia es evangelizar a todos los grupos etnolingüísticos. Pero estamos convencidos de que las sociedades son dinámicas y cambiantes y que nuestro papel como misioneros implica superar las barreras sociales para el evangelio. La inmigración y la globalización han traído a "las naciones" a nuestros barrios y la urbanización ha fracturado nuestras sociedades aún más creando subculturas. Según el modelo bíblico, la Iglesia debe hacer discípulos de todas las naciones en el contexto de los grupos sociales en los que están. No estamos hablando de iglesias "sensibles al buscador" o "al gusto del consumidor", sino que estamos animando a todos los cristianos en todo lugar a reconocer que han sido enviados a los grupos que hay ahí donde viven.

Quizás el tema más debatido es el de la **contextualización**. Como mencionamos en ese capítulo, aunque nadie se opone a la idea de que hemos de hacer todos los esfuerzos posibles por contextualizar, hay opiniones muy variadas sobre cuánto deberíamos ajustar nuestros enfoques evangelísticos en deferencia a la cultura. No tenemos ningún deseo de crear un debate; nuestro objetivo es que las iglesias aprendan a reconocer el importante papel de la cultura en la comprensión que una persona tiene del evangelio. Para equipar a los cristianos a contextualizar bien, las iglesias deben trabajar para que todos los discípulos conozcan el evangelio universal e inmutable y puedan comunicarlo bien a la gente que los rodea.

Hasta hace poco, la misión no la hacía la iglesia local, sino las agencias especializadas. Nuestra intención con el capítulo sobre **buscar caminos alternativos** era mostrar que las oportunidades de servicio misionero, tanto en casa como en el extranjero, son infinitas. Van más allá de lo que tradicionalmente hemos entendido como "trabajo misionero" y abren la puerta a todos los creyentes. Nuestra esperanza es que los creyentes que ocupan los bancos de nuestras iglesias vean que hay cantidad de oportunidades, y que eso alimente en ellos el deseo de involucrarse activamente en la misión.

Pasamos meses buscando una mejor palabra que "autoctonía" para nuestro capítulo sobre **proteger lo autóctono**. Obviamente es un término del mundo de las misiones. Pero no encontramos una forma mejor de explicar la necesidad de que las iglesias reflejen la tierra (es decir, la cultura) en la que están plantadas. Creemos que es fundamental que los misioneros entiendan la cultura en la que están plantando el evangelio para que la gente de esa cultura lo vea como una buena noticia. También es fundamental que las iglesias locales que nacen con discípulos hechos dentro de esa cultura sean iglesias que reflejen igualmente el entorno cultural. No es que la cultura dicte cómo debe ser la iglesia, sino que esta vive y proclama el evangelio con términos que la cultura entienda.

Lo que hemos omitido

El conjunto de habilidades misioneras es mucho más amplio que las nueve que hemos presentado en este libro. Probablemente echaste en falta temas como la creación de alianzas en la misión, la predicación, el desarrollo de plataformas y el trabajo con grupos pequeños. También omitimos la exploración de la seguridad, la financiación, la rendición de cuentas y la comunicación. Tal vez guardemos todo eso para otro libro. Otros ya han tratado muchos de esos temas, que normalmente van asociados a un lugar y unas circunstancias concretas. Aunque ya hay muchos recursos sobre filosofía de las misiones y estrategia misionera, nosotros presentamos un énfasis renovado en las habilidades, los elementos básicos para hacer la misión en el día a día. Cuando estás equipado para pensar y actuar como un misionero, la estrategia y la filosofía surgen más fácilmente y resultan más adecuadas.

Existen herramientas fantásticas. Hay muchos estudios bíblicos, cursos sobre misiones y talleres que pueden ayudarte a entender la misión global de Dios. Pero nada se iguala a la experiencia. Sigue a Cristo paso a paso en Su misión y desarrollarás habilidades misioneras. Dios es fiel y nos da todo lo que necesitamos para hacer lo que Él nos ha pedido que hagamos.

Ahora depende de ti implementar estas habilidades en tu campo de misión. Queremos ver grupos pequeños que elaboran juntos un mapa para poder entender mejor sus vecindarios. Iglesias enteras que se reorganizan para ser un mejor reflejo de los contextos en los que están plantadas. Cristianos en todo lugar interactuando con sus vecinos con un diálogo atento y construyendo relaciones genuinas. Nuestra esperanza es que las iglesias dejen de importar metodologías que parecen funcionar en otro lugar y, en vez de eso, comiencen a explorar activamente expresiones de iglesia apropiadas sin pensar en los números, el tamaño, el ego o si están a la última o no. La verdad es que nadie te puede decir cómo influenciar a una tribu social o cómo contextualizar el evangelio. Esas cosas las hacen creyentes fieles que han sido discipulados para tener una mentalidad misionera y que han aprendido una serie de habilidades misioneras. No hay atajos.

Nuestra esperanza es que los hijos de Dios, sean de la tradición que sean, tomen estas habilidades y las usen para desarrollar una misionología más bíblica.

Nuestra meta

El agente inmobiliario que hace un mapa de la capa espiritual de su vecindario. La profesora que ve su acceso a la sala de profesores como un pase privilegiado para unirse a una tribu exclusiva. El jefe de construcción que contextualiza el evangelio viviendo delante de sus compañeros como "el hombre sabio que construye su casa sobre la roca". Estos son el tipo de misioneros que la iglesia debe producir. Nuestra oración es que las iglesias dejen de tener una mentalidad "hacia adentro" y pasen a tener una mentalidad "hacia afuera". Entonces, y solo entonces, la iglesia habrá asumido realmente la actitud y la perspectiva misionera de nuestro Señor Jesús. La aplicación meditada de las habilidades misioneras básicas cambiará radicalmente la manera en que los cristianos nos relacionamos con el mundo. Para los cristianos que piensan y actúan como misioneros es mucho más fácil no enredarse en los asuntos terrenales. Las prioridades se vuelven claras y es mucho más fácil saber a qué decir "sí" y cuándo decir "no". En la misión, el cristiano llega a comprender el propósito de su vida y de su salvación.

Todos los cristianos estamos llamados a hacer la misión, pero no a todos se nos da bien ser buenos misioneros. Tenemos que aprender a pensar como aquellos que han sido enviados, y se necesita práctica y experiencia para llegar a ser buenos en el estilo de vida para el que Dios nos ha salvado. Te animamos a que aprendas estas habilidades, las pongas en práctica y las enseñes en tu iglesia. Cuando lo hagas, te sorprenderán las oportunidades que se abren delante de vosotros. Tendréis un nuevo sentido de propósito y una claridad tales, que los ajustes de estilo de vida que tendréis que hacer por haberos unido a la misión de Jesús resultarán mucho más fáciles de hacer.

BIBLIOGRAFÍA

Allen, Catherine B. *The New Lottie Moon Story*. Nashville, Broadman, 1980.

Allen, Roland. *Missionary Methods: St. Paul's or Ours?* Cambridge, Lutterworth, 2006.

Answers Corporation. "Where does the term second fiddle come from?" http://wiki.answers.com/Q/where_does_the_term_second_fiddle_come_from.

Appleton, Kate, et al. "World's Most-Visited Tourist Attractions". *Travel + Leisure*, octubre de 2011. http://www.travelandleisure.com/articles/worlds-most-visitedtouristattractions/7.

Bierlein, J.F. *Parallel Myths*. New York, Ballentine, 1994 [*El espejo eterno: Mitos paralelos en la historia del hombre*. Madrid, Grupo Anaya, 2001].

Blackaby, Henry. *Experiencing God: Knowing and Doing the Will of God*, revisado. Nashville, Broadman and Holman, 2008 [*Mi experiencia con Dios: Cómo conocer y hacer la voluntad de Dios*. Nashville, LifeWay Press, 1993 (reimpresión 2018)].

Blake, Daniel. "Turkey Christian Missionaries Horrifically Tortured Before Killings". *Christianity Today*, 16 de abril de 2007. http://www.christiantoday.com/article/turkey.christian.missionaries.horrifically.tortured.before.killings/10523.htm.

Bolles, Richard Nelson. *What Color is Your Parachute?* http://www.jobhuntersbible.com/.

Booker, Christopher. *The Seven Basic Plots: Why We Tell Stories*. London, Continuum, 2005.

Bosch, David J. *Transforming Mission: Paradigm Shifts in Theology of Mission*. New York, Orbis, 1991.

Brunner, Jim. "When it comes to strip clubs, Portland has nothing to hide". *Seattle Times*, 2 de noviembre de 2006. http://seattletimes.com/html/localnews/2003336880_portlandclubs02m.html.

Calvin, John. *Institutes of the Christian Religion*. Peabody, Hendrickson, 2007 [*Institución de la Religión Cristiana*. Rijswik, FELiRe, 2006].

Coleman, Robert. *The Master Plan of Evangelism*, edición revisada. Grand Rapids, Fleming H. Revell, 1993 [*Plan supremo de evangelización*. El Paso, Casa Bautista de Publicaciones, 1983].

Dodd, Patton. "A Better Storyteller: Donald Miller Helps Culturally Conflicted Evangelicals Make Peace With Their Faith". *Christianity Today*, junio de 2007. http://www.christianitytoday.com/ct/2007/june/10.28.html.

Erickson, Millard J. *God in Three Persons: A Contemporary Interpretation of the Trinity*. Grand Rapids, Baker, 1995.

Frost, Michael. *Exiles: Living Missionally in a Post-Christian Culture*. Grand Rapids, Baker, 2006.

Garrison, David. *Church Planting Movements*. Richmond, International Mission Board, 1999.

Gilliland, Dean S. *The Word Among Us: Contextualizing Theology for Mission Today*. Dallas, Word, 1989.

Godin, Seth. *Tribes: We Need You To Lead Us*. New York, Portfolio, 2008.

Gowan, Donald E. *The Westminster Theological Wordbook of the Bible*. Westminster, John Knox, 2003.

Grenz, Stanley J. *Created for Community: Connecting Christian Belief with Christian Living*. Grand Rapids, Baker Academic, 1996.

Grudem, Wayne. *Systematic Theology: An Introduction to Biblical Doctrine*. Grand Rapids, Zondervan, 1994 [*Teología sistemática*. Miami, Editorial Vida, edición revisada 2009].

Hannah-Jones, Nikole. "Human trafficking industry thrives in Portland metro area". *Oregonian Live*, 9 de enero de 2010. http://www.oregonlive.com/portland/index.ssf/2010/01/human_trafficking_industry_thr.html.

Hayward, Douglas. "Measuring Contextualization in Church and Missions". *International Journal of Frontier Missions* 12:3 (1995).

Henry, Matthew. "Matthew Henry Complete Commentary on the Whole Bible: Luke 10". *Study Light*. http://www.studylight.org/com/mhc-com/view.cgi?book=luchapter=010.

Hesselgrave, David. *Communicating Christ Cross-Culturally: An Introduction to Missionary Communication*. Grand Rapids, Zondervan, 1991.

Hirsch, Alan y Lance Ford. *Right Here Right Now: Everyday Mission For Everyday People*. Grand Rapids, Baker, 2011.

International Mission Board. "Glossary". http:// going.imb.org/details.asp-StoryID=7489LanguageID=1709. "Definition Of Church". http://www.imb.org/main/news/details.asp? LanguageID=1709StoryID=3838.

Joshua Project. "What is the 10/40 Window?" http://www.joshuaproject.net/10-40-window.php.

Keller, Tim. *Counterfeit Gods: The Empty Promises of Money, Sex, and Power, and the Only Hope That Matters*. New York, Dutton, 2009 [*Dioses que fallan: las promesas vacías del dinero, el sexo y el poder, y la única esperanza verdadera*. Barcelona, Andamio Editorial, 2015].

Lai, Patrick. *Tent-making: The Life and Work of Business as Missions*. Colorado Springs: Biblical, 2005.

Larson, Donald. *Guidelines for Barefoot Language Learning: An Approach Through Involvement and Independence.* St. Paul, CMS, 1984.

Lewis, C.S. *Mere Christianity.* San Francisco, Harper, 2001 [*Mero cristianismo.* Madrid, Rialp, 2009].

Lloyd-Jones, Martyn. *The Sovereign Spirit: Discerning His Gifts.* Wheaton, Harold Shaw, 1986.

Logos Apostolic Church of God and Bible College. "Greek Word Study on ἄγγελος". http://www.logosapostolic.org/greek_word_studies/32_aggeloj_angelos_angel.htm.

Lynch, Kevin. *The Image of the City.* Cambridge, The M.I.T. Press, 1960.

Maffesoli, Michel. *The Time of the Tribes: The Decline of Individualism in Mass Society.* Paris, Sage, 1996.

Marzal, Manuel M. *The Indian Face of God in Latin America: Faith and Cultures Series.* Maryknoll, Orbis, 1996.

McKee, Robert. *Story: Substance, Structure, Style, and the Principles of Screenwriting.* New York, Harper Collins, 1997.

Merriam-Webster. "Exogenous". *Merriam-Webster Online Dictionary.* http://www.merriamwebster.com/dictionary/exogenous. "Indigenous". *Merriam-Webster Online Dictionary.* http://www.merriam-webster.com/dictionary/indigenous.

Miller, Donald. *A Million Miles in a Thousand Years: What I Learned While Editing My Life.* Nashville, Thomas Nelson, 2009.

Muse, J. Guy. "Model, Assist, Watch, Leave". *The M Blog,* 2 de julio de 2007. http://guymuse.blogspot.com/2007/07/model-assist-watch-leave.html.

Myers, Joseph. *The Search to Belong: Rethinking Intimacy, Community, and Small Groups.* Grand Rapids, Youth Specialties, 2003.

Newbigin, Lesslie. *The Gospel in a Pluralist Society.* Grand Rapids, Wm B. Eerdmans, 1989.

The Open Secret, An Introduction to the Theology of Mission. Grand Rapids, Wm. B. Eerdmans, 1995.

Olson, Gordon. *What in the World is God Doing? The Essentials of Global Missions.* Cedar Knolls, Global Gospel, 2003.

Piper, John. "How can I discern the specific calling of God on my life?" *Desiring God,* 14 de noviembre de 2007. http://www.desiringgod.org/resource-library/ask-pastorjohn/how-can-i-discern-the-specific-calling-of-god-on-mylife/print?lang=en.

Reese, Robert. "The Surprising Relevance of the Three-Self Formula", *Mission Frontiers* (julio–Agosto de 2007) 25.

Skybridge Community. "About Skybridge". http://www.skybridgecommunity.net/about-skybridge.

Spurgeon, C. H. "A Sermon and a Reminiscence", The Spurgeon Archive. http://www.spurgeon.org/s_and_t/srmn1873.htm.

Stetzer, Ed. "Indigenous Church Planting". *Church Planting Village*. http://http://www.churchplantingvillage.net.churchplantingvillagepb.aspx/?page-id=8589989695.

Story, Louise. "Anywhere the Eye Can See, It's Likely to See an Ad". *New York Times*, 7 de enero de 2007. http://www.nytimes.com/2007/01/15/business/media/15everywhere.html.

Taber, Charles R. "Contextualization: Indigenization and/or Transformation". En *The Gospel and Islam: A 1978 Compendium*. Monrovia, MARC, 1979.

The Upstream Collective, *The Upstream Collective Jet Set Vision Trip Guidebook, 2011*.

United Nations Population Fund. "Introduction". *State of World Population 2007*. http://www.unfpa.org/swp/2007/english/introduction.html [Fondo de Población de las Naciones Unidas].

Vanderstelt, Jeff. "Why Throwing Parties is Missional". *Verge Network*. http://www.vergenetwork.org/2012/02/10/why-throwing-parties-is-missional-jeffvanderstelt.

Watson, David. "Understanding Transition Points–It's Time to say Goodbye". *Touch Point: David Watson's Blog*, 2 de mayo de 2008. http://www.davidlwatson.org/2008/05/02/understanding-transitions---it'stime-to-say-goodbye.

Wikimedia Foundation, Inc. "Grand Central Terminal". *Wikipedia*. http://en.wikipedia.org/wiki/Grand_Central_Terminal.

Winter, Ralph. "The Highest Priority: Cross-Cultural Evangelism". *The Laussane Committee for World Evangelization, 1974*. "Unreached Peoples and Beyond (1974 to Now)". YouTube. http://www.youtube.com/watch?v=S8K-BHqjId5k.

Wolf, Thomas A. "Oikos Evangelism: The Biblical Pattern". Informe presentado en el Golden Gate Baptist Theological Seminary, San Francisco, California, 1999.

"Persons of Peace". http://www.kncsb.org/resources/PersonsofPeace.pdf.

"The City". Ponencia pronunciada en el Golden Gate Baptist Theological Seminary, San Francisco, California, 2000.

"The Universal Discipleship Pattern". Global Spectrum, New Delhi, 1992. http://tinyurl.com/76n62bb.

"Urban Social Change". Ponencia pronunciada en el Golden Gate Baptist

Theological Seminary, San Francisco, California, 1998.

Zannini, Paola. "Five Tips for Growing Native Plants". *Chattanooga Times Free Press*, 5 de febrero de 2011. http://www.timesfreepress.com/news/2011/feb/05/5-tips-for-growing-native-plan

ENDNOTES

1   Spurgeon, "A Sermon and a Reminiscence". La cursiva es mía.
2   Bosch, *Transforming Mission*, 389-390.
3   Génesis 9:1-29.
4   Génesis 12-17
5   Éxodo 3:1-12
6   Génesis 37:12-36.
7   Daniel 1:1-21.
8   Génesis 32:1-32.
9   Jonás 1:1-17.
10   Juan 14:9.
11   Mateo 9:9.
12   Mateo 4:19-20.
13   Hechos 2:41.
14   Joshua Project, "What is the 10/40 Window?".
15   Olson, *What in the World is God Doing?*, 86
16   International Mission Board, "Glossary".
17   Newbigin, *The Open Secret*, 64.
18   Coleman, *Plan supremo de evangelización*, 15.
19   Piper, "How Can I Discern the Specific Calling of God on My Life?".
20   *Ibid.*
21   Juan 16:7-8, 14:26; Hechos 4:31, 9:31.
22   Grudem, *Teología sistemática*, 666.
23   The Upstream Collective, *The Upstream Collective Jet Set Vision Trip Guidebook*, 2011, 30.
24   Lloyd-Jones, *The Sovereign Spirit*, 89-90.
25   *The Open Secret*, 64.
26   Lynch, *The Image of the City*
27   *Ibid.*, 49.
28   *Ibid.*, 72.
29   Wikimedia Foundation, Inc., "Grand Central Terminal".
30   Appleto et al., "World's Most-Visited Tourist Attractions".
31   *The Image of the City*, 66.
32   Winter, "Unreached Peoples and Beyond (1974 to Now)".
33   *The image of the City*, 62.
34   *Ibid.*, 78.
35   Brunner, "When it comes to strip Clubs, Portland has nothing to hide".
36   Hannah-Jones, "Human trafficking industry thrives in Portland metro area".
37   Wolf, "The City".
38   Blackaby, *Mi experiencia con Dios*, 66.

39   Bierlein, *El espejo eterno: Mitos paralelos en la historia del hombre*, 140.

40   Romanos 1:19-23.

41   Gálatas 4:4.

42   Apocalipsis 7:9.

43   Romanos 1:19.

44   Romanos 1:20.

45   Griego antiguo,   (ginosko). Gowan, *The Westminster Theological Wordbook of the Bible*, 280.

46   Booker, *The Seven Basic Plots*, 4.

47   Dodd, "A Better Storyteller".

48   McKee, *Story*, 27.

49   Miller, *A Million Miles in a Thousand Years*, 66.

50   Lucas 18:9-14.

51   Michael Mata es el Director de Desarrollo Urbano de World Vision. Michael Mata dio una ponencia en la Conferencia *Origins* en Los Ángeles el 23 de julio de 2010.

52   Juan 1:14.

53   Hebreos 1:1-2.

54   Calvino, *Institución de la Religión Cristiana*, 56.

55   Stetzer, Jet Set Vision Trip a Estambul, Turquía, en 2010. (*N. de la T.* Los "Jet Set Vision Trips" son viajes de formación misionológica que Upstream organiza para pastores).

56   Keller, *Dioses que fallan*, 172.

57   Marcos 10:17-22.

58   Blake, "Turkey Christian missionaries horrifically tortured before killings".

59   Wolf, "Urban Social Change".

60   Wolf, "The Universal Discipleship Pattern".

61   Juan 5:19-23, 36-37; 6:57; 8:16, 19, 28; 10:15, 25-30; 13:31; 14:11-14; 15:1, 1 9-10, 23; 16:3, 28; 17:1-5, 10, 21-26 y otros.

62   Juan 1:43; 3:18; 4:13; 6:25-29, 35-37; 6:67-70; 7:37-38; 8:12, 36; 9:39; 10.9- 2 16, 27-28; 12:44-48; 14:1-3, 6, 23; 15:9-11; 16:16-24; 17:7-9, 20-24 y otros.

63   Mateo 5:21-26; 18:15-20; 20:26-28; Juan 13:14-15, 33-34; 17:21 y otros.

64   Mateo 5:11, 16, 21-48; 6:1-5; 7:1-5, 12; 10:5-24, 40-42; 18:1-6, 15-35; 4 20:26-28; 22:39; 28:18-20 y otros.

65   Desarrollaremos más esta idea en los capítulos "Identificando a las personas de paz" e "Interactuando con las tribus".

66   Un buen ejemplo de esto es el encuentro con la mujer samaritana en Juan 4. Jesús usó lo que sabía de la mujer para ganar su confianza y establecer una relación. Él la entendió y por eso pudo darle las buenas noticias hablándole del agua viva, que tan bien se aplicaba a su situación.

67   La doctrina de la trinidad enseña que Dios existe eternamente en tres personas que son plenamente Dios, y que hay un solo Dios. La palabra trinidad no aparece en las Escrituras, pero vemos a la trinidad revelada a través de las Escrituras: en Génesis 1:2, 26 y Juan 1:1-3, la trinidad en la creación; en Mateo 3:16-17, en el bautismo de Jesús; en Mateo 28:19-20, enviando a la Iglesia; en 1 Corintios 12:4-6, empoderando a la Iglesia; en Judas 20-21, como el fundamento **de nuestra fe;** en otros pasajes. Las ideas trinitarias de la comunidad, extraídas de la unicidad de Dios, también dan forma a la manera en que la iglesia construye relaciones. Miramos al Dios que existe en comunidad y aprendemos lecciones que aplicamos al matrimonio, a la familia y a la iglesia. Esas lecciones giran alrededor de una idea central: muchas personas unidas como una sola, no de manera uniforme, sino que muchas personas distintas con roles y dones únicos avanzan con un solo propósito hacia un mismo fin (Efesios 4:1-16; 5:22-6:9; 1 Corintios 12:4-31).

68   Erickson, *God in Three Persons*, 332-333.

69   Juan 17:3.

70   Marcos 3:33-35.

71   Colosenses 1:2.

72   Gálatas 4:28, 31; Efesios 2:19.

73   Gálatas 4:4-7.

74   Romanos 12:10, 1 Timoteo 5:1-2; 1 Juan 2:9-11; 5:2.

75   Romanos 10:12, 1 Corintios 12:13; Gálatas 3:28; Colosenses 3:11.

76   1 Corintios 12; Efesios 4-6.

77   Judas 3-4; Hechos 15; Gálatas 5:1-12.

78   No estoy descartando el poder del Espíritu, que puede revelarnos cosas sobre la vida y las necesidades de los no creyentes; está claro que debemos orar y pedir sabiduría. Sin embargo, como somos seres relacionarnos unos con otros, debemos aprender a aprovechar la forma en que Dios nos creó para conectar con los demás.

79   1 Tesalonicenses 2:8.

80   Génesis 12:3.

81   Vanderstelt, "Why Throwing Parties is Missional".

82   Deuteronomio 4:5-7.

83   Gálatas 5:2-6; Hechos 16:3; 1 Corintios 8.

84   Gálatas 5:16-26; Colosenses 3:5-17.

85   Más sobre este tema en el capítulo titulado "Contextualización".

86   Es horrible utilizar este término cuando hablamos de relaciones. Pero si nos alejamos de su sentido puramente utilitario, es el término adecuado. Básicamente significa "usar para obtener una ganancia". Normalmente, las personas conocen a otras personas por medio de las relaciones que ya tienen. Siendo así, podemos aprovecharnos del proceso —no aprovecharnos de las personas— y de forma intencional aprovechar las relaciones que ya tenemos para iniciar otras relaciones. No estoy proponiendo que usemos a las personas para hacer nuevas amistades. Lo que quiero sugerir es que

tengamos en cuenta que las relaciones personales llevan a otras relaciones personales, y que aprovechemos ese puente natural para sembrar el evangelio en tierra fértil. No es utilitarismo, sino amistad y mayordomía.

87 ² De nuevo usamos aquí un término un tanto extraño. "Divisa" suele tener un significado económico/utilitario. Se define como "instrumento de intercambio", y puede tener un sinfín de acepciones. Como ya dijimos con el término "aprovechar", no estamos diciendo que usemos a las personas. No entablamos una amistad con David para poder acceder a Daniel. Sin embargo, si somos amigos de David probablemente acabemos siendo amigos de Daniel.

88 Las instrucciones que Jesús dio a aquellos discípulos también aparecen en Mateo 10:11-14 y Marcos 6:10-11.

89 Aunque para la mayoría de citas bíblicas hemos utilizado la versión NVI (CST), aquí hemos escogido la versión RVR1960, que traduce la palabra griega   como "hijo", siendo esta una traducción perfectamente aceptable (otras versiones traducen "persona de paz", "persona pacífica" o "persona que promueve la paz"). Sin embargo,   se usa de formas distintas en el Nuevo Testamento: a veces para reflejar conexión familiar, otras para reflejar el género masculino, otras para hablar de amigos, otras para hablar más ampliamente de personas que actúan de cierta manera. No es un término que necesariamente significa un hijo varón (en griego hay otras palabras para referirse a esa relación directa).   es un término que enfatiza el carácter de la relación. Parece que en Lucas 10 Jesús quiere expresar la naturaleza de la relación. El "hijo de paz" es aquel que trata al enviado como a un miembro de su familia; lo acepta, lo cuida, lo acoge como si perteneciera a su propia familia. Mirando los ejemplos en el Nuevo Testamento de personas que parecen encajar en esta categoría, no creemos que aquí se use con la acepción de "hijo varón". Ya que en las Escrituras no solo se usa para hablar del género masculino, creemos que lo apropiado es traducirlo por "persona de paz". Para obtener más información sobre este tema, puedes consultar: W.E. Vines, *An Expository Dictionary of New Testament Words*. Old Tappan: Fleming H. Revell, 1966, Vol 1, 187, Vol 4, 47.

90 Como verás a lo largo de este capítulo, citamos mucho los escritos del Dr. Wolf. Esto se debe, en parte, a que se ha escrito muy poco sobre el tema de la persona de paz. También se debe a que el Dr. Wolf lo explica muy bien. Aunque otros autores mencionan de pasada este tema, en el momento en el que escribo este capítulo no conozco ningún trabajo extenso sobre este concepto. No obstante, si buscas en Google "persona de paz", encontrarás un archivo pdf con algunas de las enseñanzas del Dr. Wolf sobre este tema. Wolf, "Persons of Peace".

91 *Ibid.*

92 *Ibid.*

93 Hechos 8:28-35; 17:11-12; 16:31-34; 18:7-8; 17:2-4.

94 Hechos 16:6-18.

95   Hechos 9:36-43; 14:3-7.

96   Explicaremos el término *oikos* de forma más extensa en el capítulo siguiente, "Interactuando con las tribus".

97   Newbigin, *The Gospel in a Pluralist Society*, 80.

98   Matthew Henry, "Complete Commentary of the Whole Bible: Luke 10".

99   "Persons of Peace".

100   Hechos 10; 16:14-15, 25-34.

101   "Persons of peace".

102   Con "misionero" quiero decir cristiano, no solo el obrero cristiano a tiempo completo. Todos los seguidores de Cristo tienen que unirse a Él en la misión (Mateo 28:18-20; Hechos 1:8 y otros), haciéndose así misioneros. Esta herramienta es importante para un estadounidense que va a Europa a servir a través de su profesión, para un obrero cristiano chino a tiempo completo que va a Oriente Medio, y para alguien que lleva a cabo la misión en la misma ciudad donde nació.

103   1 Juan 3:22; Mateo 7:7-8; Santiago 1:5.

104   Hechos 4:3, 18-21; 5:17-21, 40-42; 14:19-21 y otros.

105   Grenz, *Created for Community*, 79.

106   Hesselgrave, *Communicating Christ Cross-Culturally*, 96.

107   Fondo de Población de las Naciones Unidas, "Introducción".

108   Maffesoli, *The Time of the Tribes*, 72.

109   Godin, *Tribes*, 1.

110   Myers, *The Search to Belong*, 20.

111   Story, "Anywhere the Eye Can See, It's Likely to See an Ad".

112   "Una iglesia local es un grupo de creyentes declarados que se reúnen regularmente para adorar, orar, estudiar las Escrituras y tener comunión los unos con los otros. Los miembros de la iglesia se ministran cubriendo las necesidades los unos a los otros, rindiéndose cuentas los unos a los otros y poniendo en práctica la disciplina de la iglesia según sea necesario. Los miembros se animan y se edifican mutuamente en santidad, madurez en Cristo y amor". International Mission Board, "Definición de Iglesia".

113   Hirsch y Ford, *Right Here Right Now*, 215.

114   Apocalipsis 5:9-10; 7:9, 14; 13:6-7; 14:6-7.

115   Wolf, "Oikos Evangelism".

116   2 Corintios 5:20.

117   Efesios 2:19.

118   Colosenses 1:21.

119   2 Corintios 6:14.

120   Filipenses 2:5-8.

121   Para una mejor explicación de qué es una vida encarnacional, ver Frost, *Exiles*, 54-56.

122   1 Corintios 9:19-22.

123   Este término aparece en el libro de Donald Larson *Guidelines for*

Barefoot Language Learning, de 1984. Aquí también aplicamos este término a los cristianos que ministran en su propia cultura o en una cultura cercana.

124   "[...] yo en ellos y tú en mí. Permite que alcancen la perfección en la unidad, y así el mundo reconozca que tú me enviaste y que los has amado a ellos tal como me has amado a mí" (Juan 17:23).

125   Reconocemos que aquí estamos usando el marco de Myers con un propósito distinto al que él menciona en *The Search to Belong*. Aquí lo que nos interesa es la identificación de las afinidades tribales de una persona.

126   Romakëve 10:14-15. Biblia en albanés.

127   El mensaje, escrito en albanés, está tomado de Romanos 10:14-15: "Ahora bien, ¿cómo invocarán a aquel en quien no han creído? ¿Y cómo creerán en aquel de quien no han oído? ¿Y cómo oirán si no hay quien les predique? ¿Y quién predicará sin ser enviado? Así está escrito: '¡Qué hermoso es recibir al mensajero que trae buenas nuevas!'".

128   Taber, *Contextualization*, 146.

129   Mateo 28:19-20.

130   1 Corintios:19-23.

131   En su clásico libro *Mero cristianismo*, C. S. Lewis describió el cristianismo como "la buena infección", un cambio radical del corazón que se propaga de persona a persona como un virus. Aquí estoy usando la misma idea para ilustrar el cambio radical que el evangelio produce cuando se transmite sin un embalaje cultural. Lewis, *Mero cristianismo*, 187-188.

132   Bosch, *Tranforming Mission*, 21.

133   2 Corintios 12:9.

134   Apocalipsis 7:9.

135   Romanos 1:18-25.

136   Mateo 13:36-43.

137   Juan 3:1-15.

138   Marcos 10:17-27.

139   Gilliland, *The Word Among Us*, vii.

140   Marzal, *The Indian Face of God in Latin America*.

141   Logos Apostolic Church of God and Bible College, "Greek Word Study on   ".

142   Winter, "The Highest Priority: Cross-Cultural Evangelism".

143   Allen, *The New Lottie Moon Story*, 158-159.

144   1 Pedro 2:11-12.

145   Filipenses 3:20.

146   Efesios 2:19.

147   El término "forastero aceptable" lo utilizan los sociólogos para definir el estatus social más alto que puede alcanzar una persona que no es nativa. Lo popularizó Donald Larson en su libro *Guidelines for Barefoot Language Learning*.

148   Hemos cambiados los nombres para proteger su identidad.

149   La categorización más aceptada es la que aparece en el libro de

Patrick Lai titulado *Tent-making*. Ha sido una obra clave en el debate sobre el trabajo como lugar de misión. Sin embargo, para simplificar y valorar los enfoques de manera un poco diferente, he propuesto esta nueva categorización. Lai, *Tent-making*, 21-28.

150   www.skybridgecommunity.net.

151   Estos componentes clave provienen de la comunidad Skybridge. Si bien son factores determinantes de Skybridge, estos componentes no son de dominio exclusivo de Skybridge. Skybridge Community, "About Skybridge".

152   Hechos 13:1-3; 14:24-28.

153   Bolles, *What Color is Your Parachute?* (*N. de la T.* En inglés, este libro se revisa cada año. Es español, existe una edición de 2013: ¿De qué color es tu paracaídas? Barcelona, Gestión 2000, 2013).

154   Hemos cambiados los nombres para proteger su identidad.

155   Merriam-Webster, "Indigenous".

156   Merriam-Webster, "Exogenous".

157   Zannini, "Five Tips for Growing Native Plants".

158   *Ibid.*

159   Stetzer, "Indigenous Church Planting".

160   *Ibid.*

161   *Ibid.*

162   *Ibid.*

163   Allen, *Missionary Methods*, 151.

164   Encontrarás más información sobre cómo entender el contexto cultural en los capítulos "Contextualización" y "Exégesis de la cultura".

165   Más sobre esto en el capítulo titulado "Interactuando con las tribus".

166   Answers Corporation, "Where does the term second fiddle come from?".

167   Garrison, *Church Planting Movements*, 17.

168   *Ibid.* (*N. de la T.* En inglés es MAWL: Model, Assist, Watch and Leave).

169   Muse, "Model, Assist, Watch, Leave".

170   Watson, "Understanding Transition Points—It's Time To Say Goodbye".

171   Reese, "The Surprising Relevance of the Three-Self Formula".

172   Hayward, "Measuring Contextualization in Church and Missions".

173   *Church Planting Movements*, 41.

Made in the USA
Monee, IL
25 November 2020